中华人民共和国国家标准

电力工程电缆设计标准

Standard for design of cables of electric power engineering

GB 50217-2018

主编部门:中 国 电 力 企 业 联 合 会
批准部门:中华人民共和国住房和城乡建设部
施行日期:2 0 1 8 年 9 月 1 日

中国计划出版社

2018 北 京

中华人民共和国国家标准
电力工程电缆设计标准
GB 50217-2018
☆
中国计划出版社出版发行
网址:www.jhpress.com
地址：北京市西城区木樨地北里甲 11 号国宏大厦 C 座 3 层
邮政编码：100038　电话：（010）63906433（发行部）
北京市科星印刷有限责任公司印刷

850mm×1168mm　1/32　6 印张　151 千字
2018 年 8 月第 1 版　2021 年10月第 6 次印刷
☆
统一书号：155182・0324
定价：36.00 元

中华人民共和国住房和城乡建设部公告

第 1827 号

住房城乡建设部关于发布国家标准《电力工程电缆设计标准》的公告

现批准《电力工程电缆设计标准》为国家标准，编号为GB 50217—2018，自2018年9月1日起实施。其中，第5.1.9条为强制性条文，必须严格执行。原国家标准《电力工程电缆设计规范》GB 50217—2007同时废止。

本标准在住房城乡建设部门户网站（www.mohurd.gov.cn）公开，并由住房城乡建设部标准定额研究所组织中国计划出版社出版发行。

中华人民共和国住房和城乡建设部

2018年2月8日

前　　言

本标准是根据住房城乡建设部《关于印发〈2015 年工程建设标准规范制订、修订计划〉的通知》（建标〔2014〕189 号）的要求，由中国电力企业联合会和中国电力工程顾问集团西南电力设计院有限公司会同有关单位对《电力工程电缆设计规范》GB 50217—2007 修订而成的。

本标准共分 7 章和 8 个附录，主要技术内容是：总则、术语、电缆型式与截面选择、电缆附件及附属设备的选择与配置、电缆敷设、电缆的支持与固定、电缆防火与阻止延燃等。

本标准修订的主要技术内容是：

(1)修改了本标准的适用范围；

(2)增加了核电厂常规岛及与生产有关的附属设施电缆敷设的有关规定；

(3)修改了铜导体电缆、铝导体电缆的选用范围，增加了铝合金导体电缆的选用范围；

(4)修改了交联聚乙烯绝缘电缆采用内、外半导电屏蔽层与绝缘层三层共挤工艺适用范围；

(5)增加了 1kV 及以下电源中性点直接接地系统中，未配出中性导体或回路不需要中性导体引至受电设备时电缆芯数选择的规定；

(6)增加了移动式电气设备电缆芯数的选择要求；

(7)修改了 10kV 及以下的电力电缆经济电流截面选择计算公式，给出了部分绝缘类型电缆经济电流曲线；

(8)增加了熔断器回路电缆最小热稳定截面校验的规定；

(9)增加了计算电力电缆最大短路电流的短路点选择的规定；

(10)修改了电力电缆金属屏蔽层有效截面计算用的最高温度取值；

(11)修改了护层电压限制器工频感应过电压耐受时间。

本标准中以黑体字标志的条文为强制性条文，必须严格执行。

本标准由住房城乡建设部负责管理和对强制性条文的解释，由中国电力企业联合会标准化管理中心负责日常管理，由中国电力工程顾问集团西南电力设计院有限公司负责具体技术内容的解释。在执行过程中，请各单位结合工程实践，认真总结经验，注意积累资料，随时将意见和建议反馈给中国电力工程顾问集团西南电力设计院有限公司(地址：四川省成都市东风路18号，邮政编码：610021)，以供今后修订时参考。

本标准主编单位、参编单位、主要起草人和主要审查人：

主编单位：中国电力企业联合会
中国电力工程顾问集团西南电力设计院有限公司

参编单位：中国电力工程顾问集团东北电力设计院有限公司
中广核工程有限公司
喜利得(中国)有限公司
中国能源建设集团新疆电力设计院有限公司

主要起草人：李国荣 胡振兴 彭 勇 唐 俊 王 喆
杨 东 齐 春 杨毅伟 丁 唯 乔 楠
罗晓康 翟长春 李 翔 李论涛

主要审查人：李淑芳 徐剑浩 杜小军 姚 雯 张欢畅
王宗景 庞芝碧 叶 凌 李 标 周桂华
胡吉磊 罗志刚 丁 杰 张振鹏 聂 涛
廖 宇 孔志达 王志强

目　　次

Contents

1 总 则

1.0.1 为使电力工程电缆设计做到技术先进、经济合理、安全适用、便于施工和维护，制定本标准。

1.0.2 本标准适用于发电、输变电、配用电等新建、扩建、改建的电力工程中500kV及以下电力电缆和控制电缆的选择与敷设设计。

本标准不适用于下列环境：矿井井下；制造、适用或贮存火药、炸药和起爆药、引信及火工品生产等的环境；水、陆、空交通运输工具；核电厂核岛部分。

1.0.3 电力工程电缆设计除应符合本标准外，尚应符合国家现行有关标准的规定。

2 术　　语

2.0.1 阻燃电缆　flame retardant cables

具有规定的阻燃性能(如阻燃特性、烟密度、烟气毒性、耐腐蚀性)的电缆。

2.0.2 耐火电缆　fire resistive cables

具有规定的耐火性能(如线路完整性、烟密度、烟气毒性、耐腐蚀性)的电缆。

2.0.3 金属塑料复合阻水层　metallic-plastic composite water barrier

由铝或铅箔等薄金属套夹于塑料层中特制的复合带沿电缆纵向包围构成的阻水层。

2.0.4 热阻　thermal resistance

计算电缆载流量采取热网分析法,以一维散热过程的热欧姆法则所定义的物理量。

2.0.5 回流线　auxiliary ground wire

配置平行于高压交流单芯电力电缆线路、以两端接地使感应电流形成回路的导线。

2.0.6 直埋敷设　direct burying

电缆敷设入地下壕沟中沿沟底铺有垫层和电缆上铺有覆盖层,且加设保护板再埋齐地坪的敷设方式。

2.0.7 浅槽　channel

容纳电缆数量较少、未含支架的有盖槽式构筑物。

2.0.8 工作井　manhole

专用于安置电缆接头等附件或供牵拉电缆作业所需的有盖坑式电缆构筑物。

2.0.9 电缆构筑物 cable building

专供敷设电缆或安置附件的电缆沟、浅槽、排管、隧道、夹层、竖(斜)井和工作井等构筑物的统称。

2.0.10 挠性固定 slip fixing

使电缆随热胀冷缩可沿固定处轴向角度变化或稍有横向移动的固定方式。

2.0.11 刚性固定 rigid fixing

使电缆不随热胀冷缩发生位移的夹紧固定方式。

2.0.12 电缆蛇形敷设 snaking of cable

按定量参数要求减小电缆轴向热应力或有助自由伸缩量增大而使电缆呈蛇形状的敷设方式。

3 电缆型式与截面选择

3.1 电力电缆导体材质

3.1.1 用于下列情况的电力电缆,应采用铜导体:

1 电机励磁、重要电源、移动式电气设备等需保持连接具有高可靠性的回路;

2 振动场所、有爆炸危险或对铝有腐蚀等工作环境;

3 耐火电缆;

4 紧靠高温设备布置;

5 人员密集场所;

6 核电厂常规岛及与生产有关的附属设施。

3.1.2 除限于产品仅有铜导体和本标准第3.1.1条确定应选用铜导体外,电缆导体材质可选用铜导体、铝或铝合金导体。电压等级1kV以上的电缆不宜选用铝合金导体。

3.1.3 电缆导体结构和性能参数应符合现行国家标准《电工铜圆线》GB/T 3953、《电工圆铝线》GB/T 3955、《电缆的导体》GB/T 3956、《电缆导体用铝合金线》GB/T 30552等的规定。

3.2 电力电缆绝缘水平

3.2.1 交流系统中电力电缆导体的相间额定电压不得低于使用回路的工作线电压。

3.2.2 交流系统中电力电缆导体与绝缘屏蔽或金属套之间额定电压选择应符合下列规定:

1 中性点直接接地或经低电阻接地系统,接地保护动作不超过1min切除故障时,不应低于100%的使用回路工作相电压;

2 对于单相接地故障可能超过1min的供电系统,不宜低于

133％的使用回路工作相电压；在单相接地故障可能持续8h以上，或发电机回路等安全性要求较高时，宜采用173％的使用回路工作相电压。

3.2.3 交流系统中电缆的耐压水平应满足系统绝缘配合的要求。

3.2.4 直流输电电缆绝缘水平应能承受极性反向、直流与冲击叠加等的耐压考核；交联聚乙烯绝缘电缆应具有抑制空间电荷积聚及其形成局部高场强等适应直流电场运行的特性。

3.3 电力电缆绝缘类型

3.3.1 电力电缆绝缘类型选择应符合下列规定：

1 在符合工作电压、工作电流及其特征和环境条件下，电缆绝缘寿命不应小于预期使用寿命；

2 应根据运行可靠性、施工和维护方便性以及最高允许工作温度与造价等因素选择；

3 应符合电缆耐火与阻燃的要求；

4 应符合环境保护的要求。

3.3.2 常用电力电缆的绝缘类型选择应符合下列规定：

1 低压电缆宜选用交联聚乙烯或聚氯乙烯挤塑绝缘类型，当环境保护有要求时，不得选用聚氯乙烯绝缘电缆；

2 高压交流电缆宜选用交联聚乙烯绝缘类型，也可选用自容式充油电缆；

3 500kV交流海底电缆线路可选用自容式充油电缆或交联聚乙烯绝缘电缆；

4 高压直流输电电缆可选用不滴流浸渍纸绝缘、自容式充油类型和适用高压直流电缆的交联聚乙烯绝缘类型，不宜选用普通交联聚乙烯绝缘类型。

3.3.3 移动式电气设备等经常弯曲移动或有较高柔软性要求的回路应选用橡皮绝缘等电缆。

3.3.4 放射线作用场所应按绝缘类型要求，选用交联聚乙烯或乙丙橡皮绝缘等耐射线辐照强度的电缆。

3.3.5 60℃以上高温场所应按经受高温及其持续时间和绝缘类型要求，选用耐热聚氯乙烯、交联聚乙烯或乙丙橡皮绝缘等耐热型电缆；100℃以上高温环境宜选用矿物绝缘电缆。高温场所不宜选用普通聚氯乙烯绝缘电缆。

3.3.6 年最低温度在－15℃以下应按低温条件和绝缘类型要求，选用交联聚乙烯、聚乙烯、耐寒橡皮绝缘电缆。低温环境不宜选用聚氯乙烯绝缘电缆。

3.3.7 在人员密集场所或有低毒性要求的场所，应选用交联聚乙烯或乙丙橡皮等无卤绝缘电缆，不应选用聚氯乙烯绝缘电缆。

3.3.8 对6kV及以上的交联聚乙烯绝缘电缆，应选用内、外半导电屏蔽层与绝缘层三层共挤工艺特征的型式。

3.3.9 核电厂应选用交联聚乙烯或乙丙橡皮等低烟、无卤绝缘电缆。

3.3.10 敷设在核电厂常规岛及与生产有关的附属设施内的核安全级(1E级)电缆绝缘，应符合现行国家标准《核电站用1E级电缆 通用要求》GB/T 22577的有关规定。

3.4 电力电缆护层类型

3.4.1 电力电缆护层选择应符合下列规定：

1 交流系统单芯电力电缆，当需要增强电缆抗外力时，应选用非磁性金属铠装层，不得选用未经非磁性有效处理的钢制铠装；

2 在潮湿、含化学腐蚀环境或易受水浸泡的电缆，其金属套、加强层、铠装上应有聚乙烯外护层，水中电缆的粗钢丝铠装应有挤塑外护层；

3 在人员密集场所或有低毒性要求的场所，应选用聚乙烯或乙丙橡皮等无卤外护层，不应选用聚氯乙烯外护层；

4 核电厂用电缆应选用聚烯烃类低烟、无卤外护层；

5 除年最低温度在－15℃以下低温环境或药用化学液体浸

泡场所，以及有低毒性要求的电缆挤塑外护层宜选用聚乙烯等低烟、无卤材料外，其他可选用聚氯乙烯外护层；

6 用在有水或化学液体浸泡场所的 3kV～35kV 重要回路或 35kV 以上的交联聚乙烯绝缘电缆，应具有符合使用要求的金属塑料复合阻水层、金属套等径向防水构造；海底电缆宜选用铅护套，也可选用铜护套作为径向防水措施；

7 外护套材料应与电缆最高允许工作温度相适应；

8 应符合电缆耐火与阻燃的要求。

3.4.2 自容式充油电缆加强层类型，当线路未设置塞止式接头时，最高与最低点之间高差应符合下列规定：

1 仅有铜带等径向加强层时，允许高差应为 40m；当用于重要回路时，宜为 30m；

2 径向和纵向均有铜带等加强层时，允许高差应为 80m；当用于重要回路时，宜为 60m。

3.4.3 直埋敷设时，电缆护层选择应符合下列规定：

1 电缆承受较大压力或有机械损伤危险时，应具有加强层或钢带铠装；

2 在流砂层、回填土地带等可能出现位移的土壤中，电缆应具有钢丝铠装；

3 白蚁严重危害地区用的挤塑电缆，应选用较高硬度的外护层，也可在普通外护层上挤包较高硬度的薄外护层，其材质可采用尼龙或特种聚烯烃共聚物等，也可采用金属套或钢带铠装；

4 除本条第 1 款～第 3 款规定的情况外，可选用不含铠装的外护层；

5 地下水位较高的地区，应选用聚乙烯外护层；

6 35kV 以上高压交联聚乙烯绝缘电缆应具有防水结构。

3.4.4 空气中固定敷设时，电缆护层选择应符合下列规定：

1 在地下客运、商业设施等安全性要求高且鼠害严重的场所，塑料绝缘电缆应具有金属包带或钢带铠装；

2 电缆位于高落差的受力条件时，多芯电缆宜具有钢丝铠装，交流单芯电缆应符合本标准第 3.4.1 条第 1 款的规定；

3 敷设在桥架等支承较密集的电缆可不需要铠装；

4 当环境保护有要求时，不得采用聚氯乙烯外护层；

5 除应按本标准第 3.4.1 条第 3 款～第 5 款和本条第 4 款的规定，以及 60℃以上高温场所应选用聚乙烯等耐热外护层的电缆外，其他宜选用聚氯乙烯外护层。

3.4.5 移动式电气设备等经常弯曲移动或有较高柔软性要求回路的电缆，应选用橡皮外护层。

3.4.6 放射线作用场所的电缆应具有适合耐受放射线辐照强度的聚氯乙烯、氯丁橡皮、氯磺化聚乙烯等外护层。

3.4.7 保护管中敷设的电缆应具有挤塑外护层。

3.4.8 水下敷设时，电缆护层选择应符合下列规定：

1 在沟渠、不通航小河等不需铠装层承受拉力的电缆可选用钢带铠装；

2 在江河、湖海中敷设的电缆，选用的钢丝铠装型式应满足受力条件；当敷设条件有机械损伤等防护要求时，可选用符合防护、耐蚀性增强要求的外护层；

3 海底电缆宜采用耐腐蚀性好的镀锌钢丝、不锈钢丝或铜铠装，不宜采用铝铠装。

3.4.9 路径通过不同敷设条件时，电缆护层选择宜符合下列规定：

1 线路总长度未超过电缆制造长度时，宜选用满足全线条件的同一种或差别小的一种以上型式；

2 线路总长度超过电缆制造长度时，可按相应区段分别选用不同型式。

3.4.10 敷设在核电厂常规岛及与生产有关的附属设施内的核安全级（1E 级）电缆外护层，应符合现行国家标准《核电站用 1E 级电缆 通用要求》GB/T 22577 的有关规定。

3.4.11 核电厂1kV以上电力电缆屏蔽设置要求应符合现行行业标准《核电厂电缆系统设计及安装准则》EJ/T 649的有关规定。

3.5 电力电缆芯数

3.5.1 1kV及以下电源中性点直接接地时，三相回路的电缆芯数选择应符合下列规定：

1 保护导体与受电设备的外露可导电部位连接接地时，应符合下列规定：

1）TN－C系统，保护导体与中性导体合用同一导体时，应选用4芯电缆；

2）TN－S系统，保护导体与中性导体各自独立时，宜选用5芯电缆；当满足本标准第5.1.16条的规定时，也可采用4芯电缆与另外紧靠相导体敷设的保护导体组成；

3）TN－S系统，未配出中性导体或回路不需要中性导体引至受电设备时，宜选用4芯电缆；当满足本标准第5.1.16条的规定时，也可采用3芯电缆与另外紧靠相导体敷设的保护导体组成。

2 TT系统，受电设备外露可导电部位的保护接地与电源系统中性点接地各自独立时，应选用4芯电缆；未配出中性导体或回路不需要中性导体引至受电设备时，宜选用3芯电缆。

3 TN系统，受电设备外露可导电部位可靠连接至分布在全厂、站内公用接地网时，固定安装且不需要中性导体的电动机等电气设备宜选用3芯电缆。

4 当相导体截面大于240mm^{2}时，可选用单芯电缆，其回路的中性导体和保护导体的截面应符合本标准第3.6.9条和第3.6.10条的规定。

3.5.2 1kV及以下电源中性点直接接地时，单相回路的电缆芯数选择应符合下列规定：

1 保护导体与受电设备的外露可导电部位连接接地时，应符合下列规定：

1）TN－C 系统，保护导体与中性导体合用同一导体时，应选用 2 芯电缆；

2）TN－S 系统，保护导体与中性导体各自独立时，宜选用 3 芯电缆；当满足本标准第 5.1.16 条的规定时，也可采用 2 芯电缆与另外紧靠相导体敷设的保护导体组成。

2 TT 系统，受电设备外露可导电部位的保护接地与电源系统中性点接地各自独立时，应选用 2 芯电缆。

3 TN 系统，受电设备外露可导电部位可靠连接至分布在全厂、站内公用接地网时，固定安装的电气设备宜选用 2 芯电缆。

3.5.3 3kV～35kV 三相供电回路的电缆芯数选择应符合下列规定：

1 工作电流较大的回路或电缆敷设于水下时，可选用单芯电缆；

2 除本条第 1 款规定的情况外，应选用 3 芯电缆；3 芯电缆可选用普通统包型，也可选用 3 根单芯电缆绞合构造型。

3.5.4 110kV 三相供电回路，除敷设于水下时可选用 3 芯外，宜选用单芯电缆。110kV 以上三相供电回路宜选用单芯电缆。

3.5.5 移动式电气设备的单相电源电缆应选用 3 芯软橡胶电缆，三相三线制电源电缆应选用 4 芯软橡胶电缆，三相四线制电源电缆应选用 5 芯软橡胶电缆。

3.5.6 直流供电回路的电缆芯数选择应符合下列规定：

1 低压直流电源系统宜选用 2 芯电缆，也可选用单芯电缆；蓄电池组引出线为电缆时，宜选用单芯电缆，也可采用多芯电缆并联作为一极使用，蓄电池电缆的正极和负极不应共用 1 根电缆；

2 高压直流输电系统宜选用单芯电缆，在水下敷设时，也可选用 2 芯电缆。

3.6 电力电缆导体截面

3.6.1 电力电缆导体截面选择应符合下列规定：

1　最大工作电流作用下的电缆导体温度不得超过电缆绝缘最高允许值，持续工作回路的电缆导体工作温度应符合本标准附录A的规定；

2　最大短路电流和短路时间作用下的电缆导体温度应符合本标准附录A的规定；

3　最大工作电流作用下，连接回路的电压降不得超过该回路允许值；

4　10kV及以下电力电缆截面除应符合本条第1款～第3款的要求外，尚宜按电缆的初始投资与使用寿命期间的运行费用综合经济的原则选择；10kV及以下电力电缆经济电流截面选用方法和经济电流密度曲线宜符合本标准附录B的规定；

5　多芯电力电缆导体最小截面，铜导体不宜小于2.5mm^2，铝导体不宜小于4mm^2；

6　敷设于水下的电缆，当需导体承受拉力且较合理时，可按抗拉要求选择截面；

7　长距离电力电缆导体截面还应综合考虑输送的有功功率、电缆长度、高压并联电抗器补偿等因素确定。

3.6.2　10kV及以下常用电缆按100%持续工作电流确定电缆导体允许最小截面时，应符合本标准附录C和附录D的规定，其载流量应考虑敷设方式的影响，并按照下列主要使用条件差异影响计入校正系数：

1　环境温度差异；

2　直埋敷设时土壤热阻系数差异；

3　电缆多根并列的影响；

4　户外架空敷设无遮阳时的日照影响。

经校正后电缆载流量实际允许值应大于回路的工作电流。

3.6.3　除本标准第3.6.2条规定外，按100%持续工作电流确定电缆导体允许最小截面时，应经计算或测试验证，并应符合下列规定：

1　含有高次谐波负荷的供电回路电缆或中频负荷回路使用的非同轴电缆，应计入集肤效应和邻近效应增大等附加发热的影响；

2　交叉互联接地的高压交流单芯电力电缆，单元系统中三个区段不等长时，应计入金属套的附加损耗发热的影响；

3　敷设于保护管中的电缆应计入热阻影响，排管中不同孔位的电缆还应分别计入互热因素的影响；

4　敷设于耐火电缆槽盒中的电缆应计入包含该型材质及其盒体厚度、尺寸等因素对热阻增大的影响；

5　施加在电缆上的防火涂料、阻火包带等覆盖层厚度大于1.5mm时，应计入其热阻影响；

6　电缆沟内电缆埋砂且无经常性水分补充时，应按砂质情况选取大于2.0K·m/W的热阻系数计入电缆热阻增大的影响；

7　35kV及以上电缆载流量宜根据电缆使用环境条件，按现行行业标准《电缆载流量计算》JB/T 10181的规定计算。

3.6.4　电缆导体工作温度大于70℃的电缆，持续允许载流量计算应符合下列规定：

1　数量较多的该类电缆敷设于未装机械通风的隧道、竖井时，应计入对环境温升的影响；

2　电缆直埋敷设在干燥或潮湿土壤中，除实施换土处理能避免水分迁移的情况外，土壤热阻系数取值不宜小于2.0K·m/W。

3.6.5　电缆持续允许载流量的环境温度应按使用地区的气象温度多年平均值确定，并应符合表3.6.5的规定。

表3.6.5　电缆持续允许载流量的环境温度

电缆敷设场所	有无机械通风	选取的环境温度
土中直埋	—	埋深处的最热月平均地温
水下	—	最热月的日最高水温平均值

续表 3.6.5

<table>
<tr><th>电缆敷设场所</th><th>有无机械通风</th><th>选取的环境温度</th></tr>
<tr><td>户外空气中、电缆沟</td><td>—</td><td>最热月的日最高温度平均值</td></tr>
<tr><td rowspan="2">有热源设备的厂房</td><td>有</td><td>通风设计温度</td></tr>
<tr><td>无</td><td>最热月的日最高温度平均值另加 5℃</td></tr>
<tr><td rowspan="2">一般性厂房、室内</td><td>有</td><td>通风设计温度</td></tr>
<tr><td>无</td><td>最热月的日最高温度平均值</td></tr>
<tr><td>户内电缆沟</td><td rowspan="2">无</td><td rowspan="2">最热月的日最高温度平均值另加 5℃ *</td></tr>
<tr><td>隧道</td></tr>
<tr><td>隧道</td><td>有</td><td>通风设计温度</td></tr>
</table>

注：* 当属于本标准第 3.6.4 条第 1 款的情况时，不能直接采取仅加 5℃。

3.6.6 通过不同散热区段的电缆导体截面选择，宜符合下列规定：

1 回路总长度未超过电缆制造长度时，宜符合下列规定：

1) 重要回路，全长宜按其中散热最差区段条件选择同一截面；

2) 非重要回路，可对大于 10m 区段散热条件按段选择截面，但每回路不宜多于 3 种规格；

3) 水下电缆敷设有机械强度要求需增大截面时，回路全长可选同一截面。

2 回路总长度超过电缆制造长度时，宜按区段选择电缆导体截面。

3.6.7 对非熔断器保护回路，应按满足短路热稳定条件确定电缆导体允许最小截面，并应按照本标准附录 E 的规定计算。对熔断器保护的下列低压回路，可不校验电缆最小热稳定截面：

1 用限流熔断器或额定电流为60A以下的熔断器保护回路；

2 熔断体的额定电流不大于电缆额定载流量的2.5倍，且回路末端最小短路电流大于熔断体额定电流的5倍时。

3.6.8 选择短路电流计算条件应符合下列规定：

1 计算用系统接线应采用正常运行方式，且宜按工程建成后5年～10年发展规划。

2 短路点应选取在通过电缆回路最大短路电流可能发生处。对单电源回路，短路点选取宜符合下列规定：

1)对无电缆中间接头的回路，宜取在电缆末端，当电缆长度未超过200m时，也可取在电缆首端；

2)当电缆线路较长且有中间接头时，宜取在电缆线路第一个接头处。

3 宜按三相短路和单相接地短路计算，取其最大值。

4 当1kV及以下供电回路装有限流作用的保护电器时，该回路宜按限流后最大短路电流值校验。

5 短路电流的作用时间应取保护动作时间与断路器开断时间之和。对电动机、低压变压器等直馈线，保护动作时间应取主保护时间；对其他情况，宜取后备保护时间。

3.6.9 1kV及以下电源中性点直接接地时，三相四线制系统的电缆中性导体或保护接地中性导体截面不得小于按线路最大不平衡电流持续工作所需最小截面；有谐波电流影响的回路，应符合下列规定：

1 气体放电灯为主要负荷的回路，中性导体截面不宜小于相导体截面。

2 存在高次谐波电流时，计算中性导体的电流应计入谐波电流的效应。当中性导体电流大于相导体电流时，电缆相导体截面应按中性导体电流选择。当三相平衡系统中存在谐波电流，4芯或5芯电缆内中性导体与相导体材料相同和截面相等时，电缆载流量的降低系数应按表3.6.9的规定确定。

表 3.6.9　电缆载流量的降低系数

相电流中 3 次谐波分量（%）	降低系数	
	按相电流选择截面	按中性导体电流选择截面
0～15	1.0	—
＞15，且≤33	0.86	—
＞33，且≤45	—	0.86
＞45	—	1.0

注：1　当预计有显著（大于 10%）的 9 次、12 次等高次谐波存在时，可用一个较少的降低系数；

2　当在相与相之间存在大于 50%的不平衡电流时，可用更小的降低系数。

3　除本条第 1 款、第 2 款规定的情况外，中性导体截面不宜小于 50%的相导体截面。

3.6.10　1kV 及以下电源中性点直接接地时，配置中性导体、保护接地中性导体或保护导体系统的电缆导体截面选择，应符合下列规定：

1　中性导体、保护接地中性导体截面应符合本标准第 3.6.9 条的规定。配电干线采用单芯电缆作保护接地中性导体时，导体截面应符合下列规定：

1)铜导体，不应小于 10 mm^2；

2)铝导体，不应小于 16mm^2。

2　采用多芯电缆的干线，其中性导体和保护导体合一的铜导体截面不应小于 2.5mm^2。

3　保护导体截面应满足回路保护电器可靠动作的要求，并应符合表 3.6.10-1 的规定。

表 3.6.10-1　按热稳定要求的保护导体允许最小截面（mm^2）

电缆相导体截面	保护导体允许最小截面
$S \leqslant 16$	S
$16 < S \leqslant 35$	16

续表 3.6.10-1

电缆相导体截面	保护导体允许最小截面
$35<S\leqslant400$	$S/2$
$400<S\leqslant800$	200
$S>800$	$S/4$

注：S 为电缆相导体截面。

4 电缆外的保护导体或不与电缆相导体共处于同一外护物的保护导体最小截面应符合表 3.6.10-2 的规定。

表 3.6.10-2 保护导体允许最小截面（mm^2）

保护导体材质	机械损伤防护	
	有	无
铜	2.5	4
铝	16	16

3.6.11 交流供电回路由多根电缆并联组成时，各电缆宜等长，敷设方式宜一致，并应采用相同材质、相同截面的导体；具有金属套的电缆，金属材质和构造截面也应相同。

3.6.12 电力电缆金属屏蔽层的有效截面应满足在可能的短路电流作用下最高温度不超过外护层的短路最高允许温度。

3.6.13 敷设于水下的高压交联聚乙烯绝缘电缆应具有纵向阻水构造。

3.7 控制电缆及其金属屏蔽

3.7.1 控制电缆应采用铜导体。

3.7.2 控制电缆的额定电压不得低于所接回路的工作电压，宜选用 450/750V。

3.7.3 控制电缆的绝缘类型和护层类型选择应符合敷设环境条件和环境保护的要求，并应符合本标准第 3.3 节和第 3.4 节的有关规定。

3.7.4 控制电缆芯数选择应符合下列规定：

1 控制、信号电缆应选用多芯电缆。当芯线截面为 $1.5mm^2$ 和 $2.5mm^2$ 时，电缆芯数不宜超过 24 芯。当芯线截面为 $4mm^2$ 和 $6mm^2$ 时，电缆芯数不宜超过 10 芯。

2 控制电缆宜留有备用芯线。备用芯线宜结合电缆长度、芯线截面及电缆敷设条件等因素综合考虑。

3 下列情况的回路，相互间不应合用同一根控制电缆：

1) 交流电流和交流电压回路、交流和直流回路、强电和弱电回路；

2) 低电平信号与高电平信号回路；

3) 交流断路器双套跳闸线圈的控制回路以及分相操作的各相弱电控制回路；

4) 由配电装置至继电器室的同一电压互感器的星形接线和开口三角形接线回路。

4 弱电回路的每一对往返导线应置于同一根控制电缆。

5 来自同一电流互感器二次绕组的三相导体及其中性导体应置于同一根控制电缆。

6 来自同一电压互感器星形接线二次绕组的三相导体及其中性导体应置于同一根控制电缆。来自同一电压互感器开口三角形接线二次绕组的 2(或 3)根导体应置于同一根控制电缆。

3.7.5 控制电缆截面选择应符合下列规定：

1 保护装置电流回路截面应使电流互感器误差不超过规定值；

2 继电保护及自动装置电压回路截面应按最大负荷时电缆的电压降不超过额定二次电压的 3%；

3 控制回路截面应按保护最大负荷时控制电源母线至被控设备间连接电缆的电压降不应超过额定二次电压的 10%；

4 强电控制回路截面不应小于 $1.5mm^2$，弱电控制回路截面不应小于 $0.5mm^2$；

5 测量回路电缆截面应符合现行国家标准《电力装置的电测量仪表装置设计规范》GB/T 50063 的规定。

3.7.6 控制电缆金属屏蔽选择应符合下列规定：

1 强电回路控制电缆，除位于高压配电装置或与高压电缆紧邻并行较长需抑制干扰外，可不含金属屏蔽；

2 弱电信号、控制回路的控制电缆，当位于存在干扰影响的环境又不具备有效抗干扰措施时，应具有金属屏蔽；

3 微机型继电保护及计算机监控系统二次回路的电缆应采用屏蔽电缆；

4 控制和保护设备的直流电源电缆应采用屏蔽电缆。

3.7.7 控制电缆金属屏蔽类型选择，应按可能的电气干扰影响采取综合抑制干扰措施，并应满足降低干扰或过电压的要求，同时应符合下列规定：

1 位于 110kV 及以上配电装置的弱电控制电缆宜选用总屏蔽或双层式总屏蔽。

2 用于集成电路、微机保护的电流、电压和信号接点的控制电缆应选用屏蔽电缆。

3 计算机监控系统信号回路控制电缆的屏蔽选择应符合下列规定：

1)开关量信号可选用总屏蔽；

2)高电平模拟信号宜选用对绞线芯总屏蔽，必要时也可选用对绞线芯分屏蔽；

3)低电平模拟信号或脉冲量信号宜选用对绞线芯分屏蔽，必要时也可选用对绞线芯分屏蔽复合总屏蔽。

4 其他情况，应按电磁感应、静电感应和地电位升高等影响因素，选用适宜的屏蔽型式。

5 电缆具有钢铠、金属套时，应充分利用其屏蔽功能。

3.7.8 控制电缆金属屏蔽的接地方式应符合下列规定：

1 计算机监控系统的模拟信号回路控制电缆屏蔽层不得构

成两点或多点接地，应集中式一点接地；

2 集成电路、微机保护的电流、电压和信号的控制电缆屏蔽层应在开关安置场所与控制室同时接地；除本条第1款、第2款情况外的控制电缆屏蔽层，当电磁感应的干扰较大时，宜采用两点接地；静电感应的干扰较大时，可采用一点接地；

3 双重屏蔽或复合式总屏蔽宜对内、外屏蔽分别采用一点、两点接地；

4 两点接地选择，尚宜在暂态电流作用下屏蔽层不被烧熔；

5 不应使用电缆内的备用芯替代屏蔽层接地。

4 电缆附件及附属设备的选择与配置

4.1 一般规定

4.1.1 电缆终端的装置类型选择应符合下列规定：

1 电缆与六氟化硫全封闭电器直接相连时，应采用封闭式GIS终端；

2 电缆与高压变压器直接相连时，宜采用封闭式GIS终端，也可采用油浸终端；

3 电缆与电器相连且具有整体式插接功能时，应采用插拔式终端，66kV及以上电压等级电缆的GIS终端和油浸终端宜采用插拔式；

4 除本条第1款～第3款规定的情况外，电缆与其他电器或导体相连时，应采用敞开式终端。

4.1.2 电缆终端构造类型选择应按满足工程所需可靠性、安装与维护方便和经济合理等因素确定，并应符合下列规定：

1 与充油电缆相连的终端应耐受可能的最高工作油压；

2 与六氟化硫全封闭电器相连的GIS终端，其接口应相互配合；GIS终端应具有与SF_6气体完全隔离的密封结构；

3 在易燃、易爆等不允许有火种场所的电缆终端应采用无明火作业的构造类型；

4 在人员密集场所、多雨且污秽或盐雾较重地区的电缆终端宜具有硅橡胶或复合式套管；

5 66kV～110kV交联聚乙烯绝缘电缆户外终端宜采用全干式预制型。

4.1.3 电缆终端绝缘特性选择应符合下列规定：

1 终端的额定电压及其绝缘水平不得低于所连接电缆额定

电压及其要求的绝缘水平；

2 终端的外绝缘应符合安置处海拔高程、污秽环境条件所需爬电距离和空气间隙的要求。

4.1.4 电缆终端的机械强度应满足安置处引线拉力、风力和地震力作用的要求。

4.1.5 电缆接头的装置类型选择应符合下列规定：

1 自容式充油电缆线路高差超过本标准第3.4.2条的规定，且需分隔油路时，应采用塞止接头；

2 单芯电缆线路较长以交叉互联接地的隔断金属套连接部位，除可在金属套上实施有效隔断及绝缘处理的方式外，应采用绝缘接头；

3 电缆线路距离超过电缆制造长度，且除本条第2款情况外，应采用直通接头；

4 电缆线路分支接出的部位，除带分支主干电缆或在电缆网络中应设置有分支箱、环网柜等情况外，应采用Y型接头；

5 3芯与单芯电缆直接相连的部位应采用转换接头；

6 挤塑绝缘电缆与自容式充油电缆相连的部位应采用过渡接头。

4.1.6 电缆接头构造类型选择应根据工程可靠性、安装与维护方便和经济合理等因素确定，并应符合下列规定：

1 海底等水下电缆宜采用无接头的整根电缆；条件不允许时宜采用工厂接头；用于抢修的接头应恢复铠装层纵向连续且有足够的机械强度；

2 在可能有水浸泡的设置场所，3kV及以上交联聚乙烯绝缘电缆接头应具有外包防水层；

3 在不允许有火种的场所，电缆接头不得采用热缩型；

4 66kV～110kV交联聚乙烯绝缘电缆线路可靠性要求较高时，不宜采用包带型接头。

4.1.7 电缆接头的绝缘特性应符合下列规定：

1　接头的额定电压及其绝缘水平不得低于所连接电缆额定电压及其要求的绝缘水平；

2　绝缘接头的绝缘环两侧耐受电压不得低于所连接电缆护层绝缘水平的2倍。

4.1.8　电缆终端、接头布置应满足安装维修所需间距，并应符合电缆允许弯曲半径的伸缩节配置的要求，同时应符合下列规定：

1　终端支架构成方式应利于电缆及其组件的安装；大于1500A的工作电流时，支架构造宜具有防止横向磁路闭合等附加发热措施；

2　邻近电气化交通线路等对电缆金属套有侵蚀影响的地段，接头设置方式宜便于监察维护。

4.1.9　220kV及以上交联聚乙烯绝缘电缆采用的终端和接头应由该型终端和接头与电缆连成整体的预鉴定试验确认。

4.1.10　电力电缆金属套应直接接地。交流系统中3芯电缆的金属套应在电缆线路两终端和接头等部位实施直接接地。

4.1.11　交流单芯电力电缆金属套上应至少在一端直接接地，在任一非直接接地端的正常感应电势最大值应符合下列规定：

1　未采取能有效防止人员任意接触金属套的安全措施时，不得大于50V；

2　除本条第1款规定的情况外，不得大于300V；

3　交流系统单芯电缆金属套的正常感应电势宜按照本标准附录F的公式计算。

4.1.12　交流系统单芯电力电缆金属套接地方式选择应符合下列规定：

1　线路不长，且能满足本标准第4.1.11条要求时，应采取在线路一端或中央部位单点直接接地(图4.1.12-1)；

2　线路较长，单点直接接地方式无法满足本标准第4.1.11条的要求时，水下电缆、35kV及以下电缆或输送容量较小的35kV以上电缆，可采取在线路两端直接接地(图4.1.12-2)；

3 除本条第1款、第2款外的长线路，宜划分适当的单元，且在每个单元内按3个长度尽可能均等区段，应设置绝缘接头或实施电缆金属套的绝缘分隔，以交叉互联接地(图4.1.12-3)。

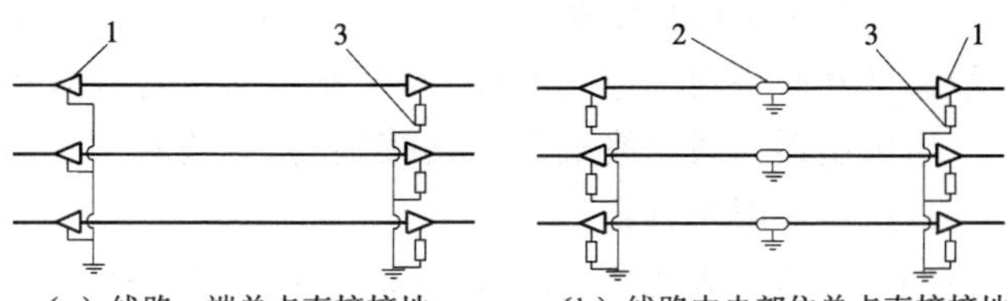

(a)线路一端单点直接接地　(b)线路中央部位单点直接接地

图4.1.12-1　线路一端或中央部位单点直接接地

1—电缆终端;2—中间接头;3—护层电压限制器

注:设置护层电压限制器适合35kV以上电缆,35kV及以下电缆需要时可设置。

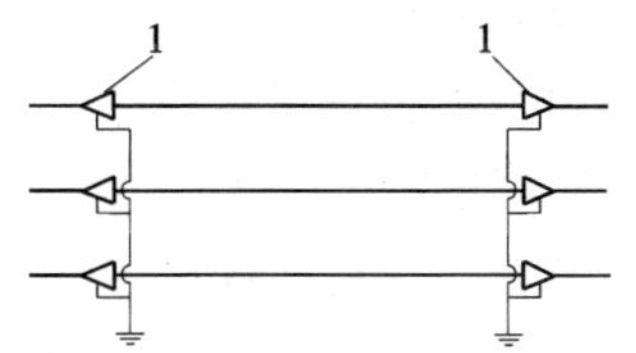

图4.1.12-2　线路两端直接接地

1—电缆终端

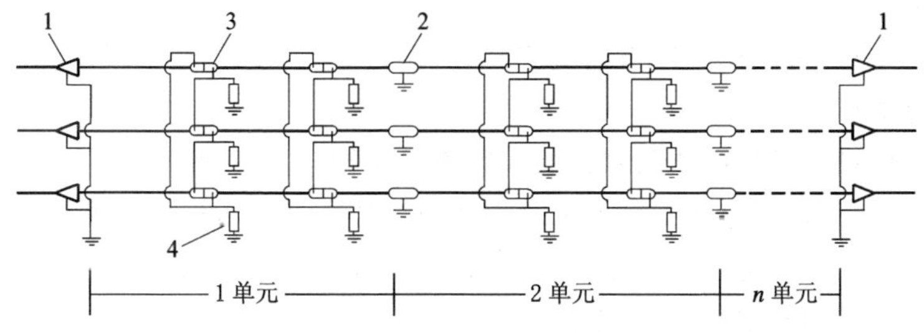

图4.1.12-3　交叉互联接地

1—电缆终端;2—中间接头;3—绝缘接头;4—护层电压限制器

注:图中护层电压限制器配置示例按Y0接线。

4.1.13　交流系统单芯电力电缆及其附件的外护层绝缘等部位应设置过电压保护，并应符合下列规定：

1　35kV以上单芯电力电缆的外护层、电缆直连式GIS终端的绝缘筒，以及绝缘接头的金属套绝缘分隔部位，当其耐压水平低于可能的暂态过电压时，应添加保护措施，且宜符合下列规定：

1）单点直接接地的电缆线路，在其金属套电气通路的末端，应设置护层电压限制器；

2）交叉互联接地的电缆线路，每个绝缘接头应设置护层电压限制器。线路终端非直接接地时，该终端部位应设置护层电压限制器；

3）GIS 终端的绝缘筒上，宜跨接护层电压限制器或电容器。

2 35kV 及以下单芯电力电缆金属套单点直接接地，且有增强护层绝缘保护需要时，可在线路未接地的终端设置护层电压限制器。

3 电缆护层电压限制器持续电压应符合现行国家标准《交流金属氧化物避雷器的选择和使用导则》GB/T 28547 的有关规定。

4.1.14 护层电压限制器参数选择应符合下列规定：

1 可能最大冲击电流作用下护层电压限制器的残压不得大于电缆护层的冲击耐压被 1.4 所除数值；

2 系统短路时产生的最大工频感应过电压作用下，在可能长的切除故障时间内，护层电压限制器应能耐受。切除故障时间应按 2s 计算；

3 可能最大冲击电流累积作用 20 次后，护层电压限制器不得损坏。

4.1.15 护层电压限制器的配置连接应符合下列规定：

1 护层电压限制器配置方式应按暂态过电压抑制效果、满足工频感应过电压下参数匹配、便于监察维护等因素综合确定，并应符合下列规定：

1）交叉互联线路中绝缘接头处护层电压限制器的配置及其连接，可选取桥形非接地△、Y0 或桥形接地等三相接线方式；

2）交叉互联线路未接地的电缆终端、单点直接接地的电缆线路，宜采取 Y0 接线配置护层电压限制器。

2 护层电压限制器连接回路应符合下列规定：

1）连接线应尽量短，其截面应满足系统最大暂态电流通过时的热稳定要求；

2）连接回路的绝缘导线、隔离刀闸等装置的绝缘性能不得低于电缆外护层绝缘水平；

3）护层电压限制器接地箱的材质及其防护等级应满足其使用环境的要求。

4.1.16 交流系统110kV及以上单芯电缆金属套单点直接接地时，下列任一情况下，应沿电缆邻近设置平行回流线。

1 系统短路时电缆金属套产生的工频感应电压超过电缆护层绝缘耐受强度或护层电压限制器的工频耐压；

2 需抑制电缆对邻近弱电线路的电气干扰强度。

4.1.17 回流线的选择与设置应符合下列规定：

1 回流线的阻抗及其两端接地电阻应达到抑制电缆金属套工频感应过电压，并应使其截面满足最大暂态电流作用下的热稳定要求；

2 回流线的排列配置方式应保证电缆运行时在回流线上产生的损耗最小；

3 电缆线路任一终端设置在发电厂、变电站时，回流线应与电源中性导体接地的接地网连通。

4.1.18 110kV及以上高压电缆线路可设置在线温度监测装置。

4.1.19 采用金属套单点直接接地或交叉互联接地的110kV及以上高压交流电力电缆线路可设置护层环流在线监测装置。

4.1.20 高压交流电力电缆线路在线监测装置技术要求应符合现行行业标准《高压交流电缆在线监测系统通用技术规范》DL/T 1506的有关规定。

4.2 自容式充油电缆的供油系统

4.2.1 自容式充油电缆必须接有供油装置。供油装置应保证电缆工作油压变化符合下列规定：

1 冬季最低温度空载时，电缆线路最高部位油压不得小于允许最低工作油压；

2 夏季最高温度满载时，电缆线路最低部位油压不得大于允许最高工作油压；

3 夏季最高温度突增至额定满载时，电缆线路最低部位或供油装置区间长度一半部位的油压不宜大于允许最高暂态油压；

4 冬季最低温度从满载突然切除时，电缆线路最高部位或供油装置区间长度一半部位的油压不得小于允许最低工作油压。

4.2.2 自容式充油电缆允许最低工作油压必须满足维持电缆电气性能要求；允许最高工作油压、暂态油压应满足电缆耐受机械强度要求，并应符合下列规定：

1 允许最低工作油压不得小于0.02MPa；

2 铅包、铜带径向加强层构成的电缆，允许最高工作油压不得大于0.4MPa；用于重要回路时，不宜大于0.3MPa；

3 铅包、铜带径向与纵向加强层构成的电缆，允许最高工作油压不得大于0.8MPa；用于重要回路时，不宜大于0.6MPa；

4 允许最高暂态油压可按1.5倍允许最高工作油压计算。

4.2.3 供油装置应保证供油量大于电缆需要供油量，并应符合下列规定：

1 供油装置可采用压力油箱。压力油箱供油量宜按夏季高温满载、冬季低温空载等电缆运行工况下油压变化条件确定；

2 电缆供油量应计入负荷电流和环境温度变化引起的电缆线路本体及其附件的油量变化总和；

3 供油装置的供油量宜有40%的裕度；

4 电缆线路一端供油且每相仅一台工作供油箱时，对重要回路应另设一台备用供油箱；当每相配有两台及以上工作供油箱时，可不设置备用供油箱。

4.2.4 供油箱的配置应符合下列规定：

1　宜按相分别配置；

2　一端供油方式且电缆线路两端有较大高差时，宜配置在较高地位的一端；

3　线路较长且一端供油无法满足允许暂态油压要求时，可配置在电缆线路两端或油路分段的两端。

4.2.5　供油系统及其布置应保证管路较短、部件数量紧凑，并应符合下列规定：

1　按相设置多台供油箱时，应并联连接；

2　供油管的管径不得小于电缆油道管径，宜选用含有塑料或橡皮绝缘护套的铜管；

3　供油管应经一段不低于电缆护层绝缘强度的耐油性绝缘管再与终端或塞止接头相连；

4　在可能发生不均匀沉降或位移的土质地方，供油箱与终端的基础应整体相连；

5　户外供油箱宜设置遮阳措施。环境温度低于供油箱最低允许工作温度时，应采取加热等改善措施。

4.2.6　供油系统应按相设置油压过低、过高越限报警功能的监察装置，并应保证油压事故信号可靠地传到运行值班处。

5 电 缆 敷 设

5.1 一 般 规 定

5.1.1 电缆的路径选择应符合下列规定：

1 应避免电缆遭受机械性外力、过热、腐蚀等危害；

2 满足安全要求条件下，应保证电缆路径最短；

3 应便于敷设、维护；

4 宜避开将要挖掘施工的地方；

5 充油电缆线路通过起伏地形时，应保证供油装置合理配置。

5.1.2 电缆在任何敷设方式及其全部路径条件的上下左右改变部位，均应满足电缆允许弯曲半径要求，并应符合电缆绝缘及其构造特性的要求。对自容式铅包充油电缆，其允许弯曲半径可按电缆外径的20倍计算。

5.1.3 同一通道内电缆数量较多时，若在同一侧的多层支架上敷设，应符合下列规定：

1 宜按电压等级由高至低的电力电缆、强电至弱电的控制和信号电缆、通信电缆“由上而下”的顺序排列；当水平通道中含有35kV以上高压电缆，或为满足引入柜盘的电缆符合允许弯曲半径要求时，宜按“由下而上”的顺序排列；在同一工程中或电缆通道延伸于不同工程的情况，均应按相同的上下排列顺序配置；

2 支架层数受通道空间限制时，35kV及以下的相邻电压级电力电缆可排列于同一层支架；少量1kV及以下电力电缆在采取防火分隔和有效抗干扰措施后，也可与强电控制、信号电缆配置在同一层支架上；

3 同一重要回路的工作与备用电缆应配置在不同层或不同侧的支架上，并应实行防火分隔。

5.1.4 同一层支架上电缆排列的配置宜符合下列规定：

1 控制和信号电缆可紧靠或多层叠置；

2 除交流系统用单芯电力电缆的同一回路可采取品字形（三叶形）配置外，对重要的同一回路多根电力电缆，不宜叠置；

3 除交流系统用单芯电缆情况外，电力电缆的相互间宜有1倍电缆外径的空隙。

5.1.5 交流系统用单芯电力电缆的相序配置及其相间距离应符合下列规定：

1 应满足电缆金属套的正常感应电压不超过允许值；

2 宜使按持续工作电流选择的电缆截面最小；

3 未呈品字形配置的单芯电力电缆，有两回线及以上配置在同一通路时，应计入相互影响；

4 当距离较长时，高压交流系统三相单芯电力电缆宜在适当位置进行换位，保持三相电抗相均等。

5.1.6 交流系统用单芯电力电缆与公用通信线路相距较近时，宜维持技术经济上有利的电缆路径，必要时可采取下列抑制感应电势的措施：

1 使电缆支架形成电气通路，且计入其他并行电缆抑制因素的影响；

2 对电缆隧道的钢筋混凝土结构实行钢筋网焊接连通；

3 沿电缆线路适当附加并行的金属屏蔽线或罩盒等。

5.1.7 明敷的电缆不宜平行敷设在热力管道的上部。电缆与管道之间无隔板防护时的允许最小净距，除城市公共场所应按现行国家标准《城市工程管线综合规划规范》GB 50289 执行外，尚应符合表5.1.7的规定。

表 5.1.7 电缆与管道之间无隔板防护时的允许最小净距(mm)

电缆与管道之间走向		电力电缆	控制和信号电缆
热力管道	平行	1000	500
	交叉	500	250

续表 5.1.7

电缆与管道之间走向		电力电缆	控制和信号电缆
其他管道	平行	150	100

注：1 计及最小净距时，应从热力管道保温层外表面算起；

2 表中与热力管道之间的数值为无隔热措施时的最小净距。

5.1.8 抑制对弱电回路控制和信号电缆电气干扰强度措施，除应符合本标准第3.7.6条～第3.7.8条的规定外，还可采取下列措施：

1 与电力电缆并行敷设时，相互间距在可能范围内宜远离；对电压高、电流大的电力电缆，间距宜更远；

2 敷设于配电装置内的控制和信号电缆，与耦合电容器或电容式电压互感、避雷器或避雷针接地处的距离，宜在可能范围内远离；

3 沿控制和信号电缆可平行敷设屏蔽线，也可将电缆敷设于钢制管或盒中。

5.1.9 在隧道、沟、浅槽、竖井、夹层等封闭式电缆通道中，不得布置热力管道，严禁有可燃气体或可燃液体的管道穿越。

5.1.10 爆炸性气体环境敷设电缆应符合下列规定：

1 在可能范围宜保证电缆距爆炸释放源较远，敷设在爆炸危险较小的场所，并应符合下列规定：

1)可燃气体比空气重时，电缆宜埋地或在较高处架空敷设，且对非铠装电缆采取穿管或置于托盘、槽盒中等机械性保护；

2)可燃气体比空气轻时，电缆宜敷设在较低处的管、沟内；

3)采用电缆沟敷设时，电缆沟内应充砂。

2 电缆在空气中沿输送可燃气体的管道敷设时，宜配置在危险程度较低的管道一侧，并应符合下列规定：

1)可燃气体比空气重时，电缆宜配置在管道上方；

2)可燃气体比空气轻时，电缆宜配置在管道下方。

3 电缆及其管、沟穿过不同区域之间的墙、板孔洞处，应采用防火封堵材料严密堵塞。

4 电缆线路中不应有接头。

5 除本条第1款～第4款规定外，还应符合现行国家标准《爆炸危险环境电力装置设计规范》GB 50058的有关规定。

5.1.11 用于下列场所、部位的非铠装电缆，应采用具有机械强度的管或罩加以保护：

1 非电气人员经常活动场所的地坪以上2m内、地中引出的地坪以下0.3m深电缆区段；

2 可能有载重设备移经电缆上面的区段。

5.1.12 除架空绝缘型电缆外的非户外型电缆，户外使用时，宜采取罩、盖等遮阳措施。

5.1.13 电缆敷设在有周期性振动的场所时，应采取下列措施：

1 在支持电缆部位设置由橡胶等弹性材料制成的衬垫；

2 电缆蛇形敷设不满足伸缩缝变形要求时，应设置伸缩装置。

5.1.14 在有行人通过的地坪、堤坝、桥面、地下商业设施的路面，以及通行的隧洞中，电缆不得敞露敷设于地坪或楼梯走道上。

5.1.15 在工厂和建筑物的风道中，严禁电缆敞露式敷设。

5.1.16 1kV及以下电源中性点直接接地且配置独立分开的中性导体和保护导体构成的TN-S系统，采用独立于相导体和中性导体以外的电缆作保护导体时，同一回路的该两部分电缆敷设方式应符合下列规定：

1 在爆炸性气体环境中，应敷设在同一路径的同一结构管、沟或盒中；

2 除本条第1款规定的情况外，宜敷设在同一路径的同一构筑物中。

5.1.17 电缆的计算长度应包括实际路径长度与附加长度。附加长度宜计入下列因素：

1 电缆敷设路径地形等高差变化、伸缩节或迂回备用裕量；

2 35kV以上电缆蛇形敷设时的弯曲状影响增加量；

3 终端或接头制作所需剥截电缆的预留段、电缆引至设备或装置所需的长度。35kV及以下电缆敷设度量时的附加长度应符合本标准附录G的规定。

5.1.18 电缆的订货长度应符合下列规定：

1 长距离的电缆线路宜采用计算长度作为订货长度；对35kV以上单芯电缆，应按相计算；线路采取交叉互联等分段连接方式时，应按段开列；

2 对35kV及以下电缆用于非长距离时，宜计及整盘电缆中截取后不能利用其剩余段的因素，按计算长度计入5%～10%的裕量，作为同型号规格电缆的订货长度；

3 水下敷设电缆的每盘长度不宜小于水下段的敷设长度，有困难时可含有工厂制作的软接头。

5.1.19 核电厂安全级电路和相关电路与非安全级电路电缆通道应满足实体隔离的要求。

5.2 敷设方式选择

5.2.1 电缆敷设方式选择应视工程条件、环境特点和电缆类型、数量等因素，以及满足运行可靠、便于维护和技术经济合理的要求选择。

5.2.2 电缆直埋敷设方式选择应符合下列规定：

1 同一通路少于6根的35kV及以下电力电缆，在厂区通往远距离辅助设施或城郊等不易经常性开挖的地段，宜采用直埋；在城镇人行道下较易翻修情况或道路边缘，也可采用直埋；

2 厂区内地下管网较多的地段，可能有熔化金属、高温液体溢出的场所，待开发有较频繁开挖的地方，不宜采用直埋；

3 在化学腐蚀或杂散电流腐蚀的土壤范围内，不得采用直埋。

5.2.3 电缆穿管敷设方式选择应符合下列规定：

1 在有爆炸性环境明敷的电缆、露出地坪上需加以保护的电缆、地下电缆与道路及铁路交叉时，应采用穿管；

2　地下电缆通过房屋、广场的区段，以及电缆敷设在规划中将作为道路的地段时，宜采用穿管；

3　在地下管网较密的工厂区、城市道路狭窄且交通繁忙或道路挖掘困难的通道等电缆数量较多时，可采用穿管；

4　同一通道采用穿管敷设的电缆数量较多时，宜采用排管。

5.2.4　下列场所宜采用浅槽敷设方式：

1　地下水位较高的地方；

2　通道中电力电缆数量较少，且在不经常有载重车通过的户外配电装置等场所。

5.2.5　电缆沟敷设方式选择应符合下列规定：

1　在化学腐蚀液体或高温熔化金属溢流的场所，或在载重车辆频繁经过的地段，不得采用电缆沟；

2　经常有工业水溢流、可燃粉尘弥漫的厂房内，不宜采用电缆沟；

3　在厂区、建筑物内地下电缆数量较多但不需要采用隧道，城镇人行道开挖不便且电缆需分期敷设，同时不属于本条第1款、第2款规定的情况时，宜采用电缆沟；

4　处于爆炸、火灾环境中的电缆沟应充砂。

5.2.6　电缆隧道敷设方式选择应符合下列规定：

1　同一通道的地下电缆数量多，电缆沟不足以容纳时，应采用隧道；

2　同一通道的地下电缆数量较多，且位于有腐蚀性液体或经常有地面水溢流的场所，或含有35kV以上高压电缆以及穿越道路、铁路等地段，宜采用隧道；

3　受城镇地下通道条件限制或交通流量较大的道路下，与较多电缆沿同一路径有非高温的水、气和通信电缆管线共同配置时，可在公用性隧道中敷设电缆。

5.2.7　垂直走向的电缆宜沿墙、柱敷设，当数量较多，或含有35kV以上高压电缆时，应采用竖井。

5.2.8 电缆数量较多的控制室、继电保护室等处，宜在其下部设置电缆夹层。电缆数量较少时，也可采用有活动盖板的电缆层。

5.2.9 在地下水位较高的地方，化学腐蚀液体溢流的场所，厂房内应采用支持式架空敷设。建筑物或厂区不宜地下敷设时，可采用架空敷设。

5.2.10 明敷且不宜采用支持式架空敷设的地方，可采用悬挂式架空敷设。

5.2.11 通过河流、水库的电缆，无条件利用桥梁、堤坝敷设时，可采用水下敷设。

5.2.12 厂房内架空桥架敷设方式不宜设置检修通道，城市电缆线路架空桥架敷设方式可设置检修通道。

5.3 电缆直埋敷设

5.3.1 电缆直埋敷设的路径选择宜符合下列规定：

1 应避开含有酸、碱强腐蚀或杂散电流电化学腐蚀严重影响的地段；

2 无防护措施时，宜避开白蚁危害地带、热源影响和易遭外力损伤的区段。

5.3.2 电缆直埋敷设方式应符合下列规定：

1 电缆应敷设于壕沟里，并应沿电缆全长的上、下紧邻侧铺以厚度不小于100mm的软土或砂层；

2 沿电缆全长应覆盖宽度不小于电缆两侧各50mm的保护板，保护板宜采用混凝土；

3 城镇电缆直埋敷设时，宜在保护板上层铺设醒目标志带；

4 位于城郊或空旷地带，沿电缆路径的直线间隔100m、转弯处和接头部位，应竖立明显的方位标志或标桩；

5 当采用电缆穿波纹管敷设于壕沟时，应沿波纹管顶全长浇注厚度不小于100 mm的素混凝土，宽度不应小于管外侧50mm，电缆可不含铠装。

5.3.3 电缆直埋敷设于非冻土地区时，埋置深度应符合下列规定：

1 电缆外皮至地下构筑物基础，不得小于 0.3 m；

2 电缆外皮至地面深度，不得小于 0.7m；当敷设于耕地下时，应适当加深，且不宜小于 1m。

5.3.4 电缆直埋敷设于冻土地区时，应埋入冻土层以下，当受条件限制时，应采取防止电缆受到损伤的措施。

5.3.5 直埋敷设的电缆不得平行敷设于地下管道的正上方或正下方。电缆与电缆、管道、道路、构筑物等之间允许最小距离应符合表 5.3.5 的规定。

表 5.3.5 电缆与电缆、管道、道路、构筑物等之间允许最小距离(m)

<table>
<tr><th colspan="2">电缆直埋敷设时的配置情况</th><th>平行</th><th>交叉</th></tr>
<tr><td colspan="2">控制电缆之间</td><td>—</td><td>0.5①</td></tr>
<tr><td rowspan="2">电力电缆之间或与控制电缆之间</td><td>10kV 及以下电力电缆</td><td>0.1</td><td>0.5①</td></tr>
<tr><td>10kV 以上电力电缆</td><td>0.25②</td><td>0.5①</td></tr>
<tr><td colspan="2">不同部门使用的电缆</td><td>0.5②</td><td>0.5①</td></tr>
<tr><td rowspan="3">电缆与地下管沟</td><td>热力管沟</td><td>2.0③</td><td>0.5①</td></tr>
<tr><td>油管或易(可)燃气管道</td><td>1.0</td><td>0.5①</td></tr>
<tr><td>其他管道</td><td>0.5</td><td>0.5①</td></tr>
<tr><td rowspan="2">电缆与铁路</td><td>非直流电气化铁路路轨</td><td>3.0</td><td>1.0</td></tr>
<tr><td>直流电气化铁路路轨</td><td>10</td><td>1.0</td></tr>
<tr><td colspan="2">电缆与建筑物基础</td><td>0.6③</td><td>—</td></tr>
<tr><td colspan="2">电缆与道路边</td><td>1.0③</td><td>—</td></tr>
<tr><td colspan="2">电缆与排水沟</td><td>1.0③</td><td>—</td></tr>
<tr><td colspan="2">电缆与树木的主干</td><td>0.7</td><td>—</td></tr>
<tr><td colspan="2">电缆与 1kV 及以下架空线电杆</td><td>1.0③</td><td>—</td></tr>
<tr><td colspan="2">电缆与 1kV 以上架空线杆塔基础</td><td>4.0③</td><td>—</td></tr>
</table>

注：①用隔板分隔或电缆穿管时不得小于 0.25m；

②用隔板分隔或电缆穿管时不得小于 0.1m；

③特殊情况时，减少值不得大于 50%。

5.3.6 直埋敷设的电缆与铁路、道路交叉时，应穿保护管，保护范围应符合下列规定：

1 与铁路交叉时，保护管应超出路基面宽各 1m，或者排水沟外 0.5m。埋设深度不应低于路基面下 1m；

2 与道路交叉时，保护管应超出道路边各 1m，或者排水沟外 0.5m。埋设深度不应低于路面下 1m；

3 保护管应有不低于 1% 的排水坡度。

5.3.7 直埋敷设的电缆引入构筑物，在贯穿墙孔处应设置保护管，管口应实施阻水堵塞。

5.3.8 直埋敷设的电缆接头配置应符合下列规定：

1 接头与邻近电缆的净距不得小于 0.25m；

2 并列电缆的接头位置宜相互错开，且净距不宜小于 0.5m；

3 斜坡地形处的接头安置应呈水平状；

4 重要回路的电缆接头附近宜采用留有备用量方式敷设电缆。

5.3.9 直埋敷设的电缆回填土土质应对电缆外护层无腐蚀性。

5.4 电缆保护管敷设

5.4.1 电缆保护管内壁应光滑无毛刺，应满足机械强度和耐久性要求，且应符合下列规定：

1 采用穿管方式抑制对控制电缆的电气干扰时，应采用钢管；

2 交流单芯电缆以单根穿管时，不得采用未分隔磁路的钢管。

5.4.2 暴露在空气中的电缆保护管应符合下列规定：

1 防火或机械性要求高的场所宜采用钢管，并应采取涂漆、镀锌或包塑等适合环境耐久要求的防腐处理；

2 需要满足工程条件自熄性要求时，可采用阻燃型塑料管。部分埋入混凝土中等有耐冲击的使用场所，塑料管应具备相应承压能力，且宜采用可挠性的塑料管。

5.4.3 地中埋设的保护管应满足埋深下的抗压和耐环境腐蚀性的要求。管枕配置跨距宜按管路底部未均匀夯实时满足抗弯矩条件确定；在通过不均匀沉降的回填土地段或地震活动频发地区时，管路纵向连接应采用可挠式管接头。

5.4.4 保护管管径与穿过电缆数量选择应符合下列规定：

1 每管宜只穿1根电缆。除发电厂、变电站等重要性场所外，对一台电动机所有回路或同一设备的低压电动机所有回路，可在每管合穿不多于3根电力电缆或多根控制电缆；

2 管的内径不宜小于电缆外径或多根电缆包络外径的1.5倍，排管的管孔内径不宜小于75mm。

5.4.5 单根保护管使用时，宜符合下列规定：

1 每根电缆保护管的弯头不宜超过3个，直角弯不宜超过2个；

2 地下埋管距地面深度不宜小于0.5m，距排水沟底不宜小于0.3m；

3 并列管相互间宜留有不小于20mm的空隙。

5.4.6 使用排管时，应符合下列规定：

1 管孔数量宜按发展预留适当备用；

2 导体工作温度相差大的电缆宜分别配置于适当间距的不同排管组；

3 管路顶部土壤覆盖厚度不宜小于0.5m；

4 管路应置于经整平夯实土层且有足以保持连续平直的垫块上，纵向排水坡度不宜小于0.2%；

5 管路纵向连接处的弯曲度应符合牵引电缆时不致损伤的要求；

6 管孔端口应采取防止损伤电缆的处理措施。

5.4.7 较长电缆管路中的下列部位应设置工作井：

1 电缆牵引张力限制的间距处。电缆穿管敷设时，允许最大管长的计算方法宜符合本标准附录 H 的规定；

2 电缆分支、接头处；

3 管路方向较大改变或电缆从排管转入直埋处；

4 管路坡度较大且需防止电缆滑落的必要加强固定处。

5.5 电缆沟敷设

5.5.1 电缆沟的尺寸应按满足全部容纳电缆的允许最小弯曲半径、施工作业与维护空间要求确定，电缆的配置应无碍安全运行，电缆沟内通道的净宽尺寸不宜小于表 5.5.1 的规定。

表 5.5.1 电缆沟内通道的净宽尺寸(mm)

电缆支架配置方式	具有下列沟深的电缆沟		
	<600	600～1000	>1000
两侧	300	500	700
单侧	300	450	600

5.5.2 电缆支架、梯架或托盘的层间距离应满足能方便地敷设电缆及其固定、安置接头的要求，且在多根电缆同置于一层情况下，可更换或增设任一根电缆及其接头。电缆支架、梯架或托盘的层间距离最小值可按表 5.5.2 确定。

表 5.5.2 电缆支架、梯架或托盘的层间距离最小值(mm)

电缆电压等级和类型、敷设特征		支架或吊架	梯架或托盘
控制电缆明敷		120	200
电力电缆明敷	6kV 以下	150	250
	6kV～10kV 交联聚乙烯	200	300
	35kV 单芯	250	300
	35kV 3 芯	300	350
	110kV～220kV		
	330kV、500kV	350	400
电缆敷设于槽盒中		$h+80$	$h+100$

注：h 为槽盒外壳高度。

5.5.3 电缆支架、梯架或托盘的最上层、最下层布置尺寸应符合下列规定：

1 最上层支架距盖板的净距允许最小值应满足电缆引接至上侧柜盘时的允许弯曲半径要求，且不宜小于本标准表5.5.2的规定；采用梯架或托盘时，不宜小于本标准表5.5.2的规定再加80mm～150mm；

2 最下层支架、梯架或托盘距沟底垂直净距不宜小于100mm。

5.5.4 电缆沟应满足防止外部进水、渗水的要求，且应符合下列规定：

1 电缆沟底部低于地下水位、电缆沟与工业水管沟并行邻近时，宜加强电缆沟防水处理以及电缆穿隔密封的防水构造措施；

2 电缆沟与工业水管沟交叉时，电缆沟宜位于工业水管沟的上方；

3 室内电缆沟盖板宜与地坪齐平，室外电缆沟的沟壁宜高出地坪100mm。考虑排水时，可在电缆沟上分区段设置现浇钢筋混凝土渡水槽，也可采取电缆沟盖板低于地坪300mm，上面铺以细土或砂。

5.5.5 电缆沟应实现排水畅通，且应符合下列规定：

1 电缆沟的纵向排水坡度不应小于0.5%；

2 沿排水方向适当距离宜设置集水井及其泄水系统，必要时应实施机械排水。

5.5.6 电缆沟沟壁、盖板及其材质构成应满足承受荷载和适合环境耐久的要求。厂、站内可开启的沟盖板，单块重量不宜超过50kg。

5.5.7 靠近带油设备附近的电缆沟沟盖板应密封。

5.6 电缆隧道敷设

5.6.1 电缆隧道、工作井的尺寸应按满足全部容纳电缆的允许最小弯曲半径、施工作业与维护空间要求确定，电缆的配置应无碍安全运行，并应符合下列规定：

1 电缆隧道内通道的净高不宜小于 1.9m；与其他管沟交叉的局部段，净高可降低，但不应小于 1.4m；

2 工作井可采用封闭式或可开启式；封闭式工作井的净高不宜小于 1.9m；井底部应低于最底层电缆保护管管底 200mm，顶面应加盖板，且应至少高出地坪 100mm；设置在绿化带时，井口应高于绿化带地面 300mm，底板应设有集水坑，向集水坑泄水坡度不应小于 0.3%；

3 电缆隧道、封闭式工作井内通道的净宽尺寸不宜小于表 5.6.1 的规定。

表 5.6.1 电缆隧道、封闭式工作井内通道的净宽尺寸(mm)

电缆支架配置方式	开挖式隧道	非开挖式隧道	封闭式工作井
两侧	1000	800	1000
单侧	900	800	900

5.6.2 电缆支架、梯架或托盘的层间距离及敷设要求应符合本标准第 5.5.2 条的规定。

5.6.3 电缆支架、梯架或托盘的最上层、最下层布置尺寸应符合下列规定：

1 最上层支架距隧道、封闭式工作井顶部的净距允许最小值应满足电缆引接至上侧柜盘时的允许弯曲半径要求，且不宜小于本标准表 5.5.2 的规定，采用梯架或托盘时，不宜小于本标准表 5.5.2 的规定再加 80mm～150mm；

2 最下层支架、梯架或托盘距隧道、工作井底部净距不宜小于 100mm。

5.6.4 电缆隧道、封闭式工作井应满足防止外部进水、渗水的要求，对电缆隧道、封闭式工作井底部低于地下水位以及电缆隧道和工业水管沟交叉时，宜加强电缆隧道、封闭式工作井的防水处理以及电缆穿隔密封的防水构造措施。

5.6.5 电缆隧道应实现排水畅通，且应符合下列规定：

1 电缆隧道的纵向排水坡度不应小于0.5%；

2 沿排水方向适当距离宜设置集水井及其泄水系统，必要时应实施机械排水；

3 电缆隧道底部沿纵向宜设置泄水边沟。

5.6.6 电缆隧道、封闭式工作井应设置安全孔，安全孔的设置应符合下列规定：

1 沿隧道纵长不应少于2个；在工业性厂区或变电站内隧道的安全孔间距不应大于75m；在城镇公共区域开挖式隧道的安全孔间距不宜大于200m，非开挖式隧道的安全孔间距可适当增大，且宜根据隧道埋深和结合电缆敷设、通风、消防等综合确定；

隧道首末端无安全门时，宜在不大于5m处设置安全孔；

2 对封闭式工作井，应在顶盖板处设置2个安全孔；位于公共区域的工作井，安全孔井盖的设置宜使非专业人员难以启开；

3 安全孔至少应有一处适合安装机具和安置设备的搬运，供人员出入的安全孔直径不得小于700mm；

4 安全孔内应设置爬梯，通向安全门应设置步道或楼梯等设施；

5 在公共区域露出地面的安全孔设置部位，宜避开道路、轻轨，其外观宜与周围环境景观相协调。

5.6.7 高落差地段的电缆隧道中，通道不宜呈阶梯状，且纵向坡度不宜大于15°，电缆接头不宜设置在倾斜位置上。

5.6.8 电缆隧道宜采取自然通风。当有较多电缆导体工作温度持续达到70℃以上或其他影响环境温度显著升高时，可装设机械通风，但风机的控制应与火灾自动报警系统联锁，一旦发生火灾时应可靠切断风机电源。长距离的隧道宜分区段实行相互独立的通风。

5.6.9 城市电力电缆隧道的监测与控制设计等应符合现行行业标准《电力电缆隧道设计规程》DL/T 5484的规定。

5.6.10 城市综合管廊中电缆舱室的环境与设备监控系统设置、检修通道净宽尺寸、逃生口设置等应符合现行国家标准《城市综合管廊工程技术规范》GB 50838 的规定。

5.7 电缆夹层敷设

5.7.1 电缆夹层的净高不宜小于 2m。民用建筑的电缆夹层净高可稍降低,但在电缆配置上供人员活动的短距离空间不得小于 1.4m。

5.7.2 电缆支架、梯架或托盘的层间距离及敷设要求应符合本标准第 5.5.2 条的规定。

5.7.3 电缆支架、梯架或托盘的最上层、最下层布置尺寸应符合下列规定:

1 最上层支架距顶板或梁底的净距允许最小值应满足电缆引接至上侧柜盘时的允许弯曲半径要求,且不宜小于本标准表 5.5.2 的规定,采用梯架或托盘时,不宜小于本标准表 5.5.2 的规定再加 80mm～150mm;

2 最下层支架、梯架或托盘距地坪、楼板的最小净距,不宜小于表 5.7.3 的规定。

表 5.7.3 最下层支架、梯架或托盘距地坪、楼板的最小净距(mm)

电缆敷设场所及其特征		垂直净距
电缆夹层	非通道处	200
	至少在一侧不小于 800mm 宽通道处	1400

5.7.4 采用机械通风系统的电缆夹层,风机的控制应与火灾自动报警系统联锁,一旦发生火灾时应可靠切断风机电源。

5.7.5 电缆夹层的安全出口不应少于 2 个,其中 1 个安全出口可通往疏散通道。

5.8 电缆竖井敷设

5.8.1 非拆卸式电缆竖井中,应设有人员活动的空间,且宜符合下列规定：

1 未超过 5m 高时，可设置爬梯，且活动空间不宜小于 800mm×800mm；

2 超过 5m 高时，宜设置楼梯，且宜每隔 3m 设置楼梯平台；

3 超过 20m 高且电缆数量多或重要性要求较高时，可设置电梯。

5.8.2 钢制电缆竖井内应设置电缆支架，且应符合下列规定：

1 应沿电缆竖井两侧设置可拆卸的检修孔，检修孔之间中心间距不应大于 1.5m，检修孔尺寸宜与竖井的断面尺寸相配合，但不宜小于 400mm×400mm；

2 电缆竖井宜利用建构筑物的柱、梁、地面、楼板预留埋件进行固定。

5.8.3 办公楼及其他非生产性建筑物内，电缆垂直主通道应采用专用电缆竖井，不应与其他管线共用。

5.8.4 在电缆竖井内敷设带皱纹金属套的电缆应具有防止导体与金属套之间发生相对位移的措施。

5.8.5 电缆支架、梯架或托盘的层间距离及敷设要求应符合本标准第 5.5.2 条的规定。

5.9 其他公用设施中敷设

5.9.1 通过木质结构的桥梁、码头、栈道等公用构筑物，用于重要的木质建筑设施的非矿物绝缘电缆时，应敷设在不燃材料的保护管或槽盒中。

5.9.2 交通桥梁上、隧洞中或地下商场等公共设施的电缆应具有防止电缆着火危害、避免外力损伤的可靠措施，并应符合下列规定：

1 电缆不得明敷在通行的路面上；

2 自容式充油电缆在沟槽内敷设时应充砂，在保护管内敷设时，保护管应采用非导磁的不燃材料的刚性保护管；

3　非矿物绝缘电缆用在无封闭式通道时，宜敷设在不燃材料的保护管或槽盒中。

5.9.3　道路、铁路桥梁上的电缆应采取防止振动、热伸缩以及风力影响下金属套因长期应力疲劳导致断裂的措施，并应符合下列规定：

1　桥墩两端和伸缩缝处电缆应充分松弛；当桥梁中有挠角部位时，宜设置电缆伸缩弧；

2　35kV 以上大截面电缆宜采用蛇形敷设；

3　经常受到振动的直线敷设电缆，应设置橡皮、砂袋等弹性衬垫。

5.9.4　在公共廊道中无围栏防护时，最下层支架、梯架或托盘距地坪或楼板底部的最小净距不宜小于 1.5m。

5.9.5　在厂房内电缆支架、梯架或托盘最上层、最下层布置尺寸应符合下列规定：

1　最上层支架距构筑物顶板或梁底的净距允许最小值应满足电缆引接至上侧柜盘时的允许弯曲半径要求，且不宜小于本标准表 5.5.2 的规定，采用梯架或托盘时，不宜小于本标准表 5.5.2 的规定再加 80mm～150mm；

2　最上层支架、梯架或托盘距其他设备的净距不应小于 300mm，当无法满足时应设置防护板；

3　最下层支架、梯架或托盘距地坪或楼板底部的最小净距不宜小于 2m。

5.9.6　在厂区内电缆梯架或托盘的最下层布置尺寸应符合下列规定：

1　落地布置时，最下层梯架或托盘距地坪的最小净距不宜小于 0.3m；

2　有行人通过时，最下层梯架或托盘距地坪的最小净距不宜小于 2.5m；

3　有车辆通过时，最下层梯架或托盘距道路路面最小净距应满足消防车辆和大件运输车辆无碍通过，且不宜小于4.5m。

5.10 水下敷设

5.10.1 水下电缆路径选择应满足电缆不易受机械性损伤、能实施可靠防护、敷设作业方便、经济合理等要求，且应符合下列规定：

1 电缆宜敷设在河床稳定、流速较缓、岸边不易被冲刷、海底无石山或沉船等障碍、少有沉锚和拖网渔船活动的水域；

2 电缆不宜敷设在码头、渡口、水工构筑物附近，且不宜敷设在疏浚挖泥区和规划筑港地带。

5.10.2 水下电缆不得悬空于水中，应埋置于水底。在通航水道等需防范外部机械力损伤的水域，应根据海底风险程度、海床地质条件和施工难易程度等条件综合分析比较后采用掩埋保护、加盖保护或套管保护等措施；浅水区的埋深不宜小于0.5m，深水航道的埋深不宜小于2m。

5.10.3 水下电缆严禁交叉、重叠。相邻电缆应保持足够的安全间距，且应符合下列规定：

1 主航道内电缆间距不宜小于平均最大水深的1.2倍，引至岸边时间距可适当缩小；

2 在非通航的流速未超过1m/s的小河中，同回路单芯电缆间距不得小于0.5m，不同回路电缆间距不得小于5m，

3 除本条第1款、第2款规定的情况外，电缆间距还应按水的流速和电缆埋深等因素确定。

5.10.4 水下电缆与工业管道之间的水平距离不宜小于50m；受条件限制时，采取措施后仍不得小于15m。

5.10.5 水下电缆引至岸上的区段应采取适合敷设条件的防护措施，且应符合下列规定：

1 岸边稳定时，应采用保护管、沟槽敷设电缆，必要时可设置工作井连接，管沟下端宜置于最低水位下不小于1m处；

2 岸边不稳定时，宜采取迂回形式敷设电缆。

5.10.6 水下电缆的两岸，在电缆线路保护区外侧，应设置醒目的禁锚警告标志。

5.10.7 除应符合本标准第5.10.1条～第5.10.6条规定外，500kV交流海底电缆敷设设计还应符合现行行业标准《500kV交流海底电缆线路设计技术规程》DL/T 5490的规定。

6 电缆的支持与固定

6.1 一 般 规 定

6.1.1 电缆明敷时，应沿全长采用电缆支架、桥架、挂钩或吊绳等支持与固定。最大跨距应符合下列规定：

1 应满足支架件的承载能力和无损电缆的外护层及其导体的要求；

2 应保持电缆配置整齐；

3 应适应工程条件下的布置要求。

6.1.2 直接支持电缆的普通支架(臂式支架)、吊架的允许跨距宜符合表 6.1.2 的规定。

表 6.1.2 普通支架(臂式支架)、吊架的允许跨距(mm)

电 缆 特 征	敷 设 方 式	
	水平	垂直
未含金属套、铠装的全塑小截面电缆	400*	1000
除上述情况外的中、低压电缆	800	1500
35kV 及以上高压电缆	1500	3000

注：* 能维持电缆较平直时，该值可增加 1 倍。

6.1.3 35kV 及以下电缆明敷时，应设置适当的固定部位，并应符合下列规定：

1 水平敷设，应设置在电缆线路首、末端和转弯处以及接头的两侧，且宜在直线段每隔不少于 100m 处；

2 垂直敷设，应设置在上、下端和中间适当数量位置处；

3 斜坡敷设，应遵照本条第 1 款、第 2 款因地制宜设置；

4 当电缆间需保持一定间隙时，宜设置在每隔约 10m 处；

5 交流单芯电力电缆还应满足按短路电动力确定所需予以

固定的间距。

6.1.4 35kV 以上高压电缆明敷时，加设的固定部位除应符合本标准第 6.1.3 条的规定外，尚应符合下列规定：

1 在终端、接头或转弯处紧邻部位的电缆上，应设置不少于1处的刚性固定；

2 在垂直或斜坡的高位侧，宜设置不少于 2 处的刚性固定；采用钢丝铠装电缆时，还宜使铠装钢丝能夹持住并承受电缆自重引起的拉力；

3 电缆蛇形敷设的每一节距部位宜采取挠性固定。蛇形转换成直线敷设的过渡部位宜采取刚性固定。

6.1.5 在 35kV 以上高压电缆的终端、接头与电缆连接部位宜设置伸缩节。伸缩节应大于电缆允许弯曲半径，并应满足金属套的应变不超出允许值。未设置伸缩节的接头两侧应采取刚性固定或在适当长度内电缆实施蛇形敷设。

6.1.6 电缆蛇形敷设的参数选择，应保证电缆因温度变化产生的轴向热应力无损电缆的绝缘，不致对电缆金属套长期使用产生应变疲劳断裂，且宜按允许拘束力条件确定。

6.1.7 35kV 以上高压铅包电缆在水平或斜坡支架上的层次位置变化端、接头两端等受力部位，宜采用能适应方位变化且避免棱角的支持方式，可在支架上设置支托件等。

6.1.8 固定电缆用的夹具、扎带、捆绳或支托件等部件，应表面平滑、便于安装、具有足够的机械强度和适合使用环境的耐久性。

6.1.9 电缆固定用部件选择应符合下列规定：

1 除交流单芯电力电缆外，可采用经防腐处理的扁钢制夹具、尼龙扎带或镀塑金属扎带；强腐蚀环境应采用尼龙扎带或镀塑金属扎带；

2 交流单芯电力电缆的刚性固定宜采用铝合金等不构成磁性闭合回路的夹具，其他固定方式可采用尼龙扎带或绳索；

3 不得采用铁丝直接捆扎电缆。

6.1.10 交流单芯电力电缆固定部件的机械强度应验算短路电动力条件，并宜满足下式要求：

$$F \geqslant \frac{2.05 i^2 L k}{D} \times 10^{-7} \qquad (6.1.10\text{-}1)$$

对于矩形断面夹具：

$$F = bh\sigma \qquad (6.1.10\text{-}2)$$

式中：F——夹具、扎带等固定部件的抗张强度(N)；

i——通过电缆回路的最大短路电流峰值(A)；

D——电缆相间中心距离(m)；

L——在电缆上安置夹具、扎带等的相邻跨距(m)；

k——安全系数，取大于2；

b——夹具厚度(mm)；

h——夹具宽度(mm)；

σ——夹具材料允许拉力(Pa)，对铝合金夹具，σ取80×10^6Pa。

6.1.11 电缆敷设于直流牵引的电气化铁路附近时，电缆与金属支持物之间宜设置绝缘衬垫。

6.2 电缆支架和桥架

6.2.1 电缆支架和桥架应符合下列规定：

1 表面应光滑无毛刺；

2 应适应使用环境的耐久稳固；

3 应满足所需的承载能力；

4 应符合工程防火要求。

6.2.2 电缆支架和桥架除支持工作电流大于1500A的交流系统单芯电缆外，宜选用钢制。在强腐蚀环境，选用其他材料的电缆支架、桥架时，应符合下列规定：

1 电缆沟中普通支架(臂式支架)，可选用耐腐蚀的刚性材料制作；

2 可选用满足现行行业标准《防腐电缆桥架》NB/T 42037

规定的防腐电缆桥架。

6.2.3 金属制的电缆支架和桥架应有防腐处理，且应符合下列规定：

1 大容量发电厂等密集配置场所或重要回路的钢制电缆桥架，应根据一次性防腐处理具有的耐久性，按工程环境和耐久要求，选用合适的防腐处理方式；

2 型钢制臂式支架，轻腐蚀环境或非重要性回路的电缆桥架，可采用涂漆处理。

6.2.4 电缆支架的强度应满足电缆及其附件荷重和安装维护的受力要求，且应符合下列规定：

1 有可能短暂上人时，应计入900N的附加集中荷载；

2 机械化施工时，应计入纵向拉力、横向推力和滑轮重量等影响；

3 在户外时，应计入可能有覆冰、雪和大风的附加荷载；

4 核电厂安全级电路电缆支架应满足抗震Ⅰ类物项设计要求，应同时采用运行安全地震震动和极限安全地震震动进行抗震设计。

6.2.5 电缆桥架的组成结构应满足强度、刚度及稳定性要求，且应符合下列规定：

1 桥架的承载能力不得超过使桥架最初产生永久变形时的最大荷载除以安全系数为1.5的数值；

2 梯架、托盘在允许安全工作载荷作用下的相对挠度值，钢制不宜大于1/200；铝合金制不宜大于1/300；

3 钢制托臂在允许承载下的偏斜与臂长比值不宜大于1/100；

4 核电厂安全级电路电缆桥架应满足抗震Ⅰ类物项设计要求，应同时采用运行安全地震震动和极限安全地震震动进行抗震设计。

6.2.6 电缆支架型式选择应符合下列规定：

1 明敷的全塑电缆数量较多，或电缆跨越距离较大时，宜选用电缆桥架；

2 除本条第1款规定的情况外，可选用普通支架、吊架。

6.2.7 电缆桥架型式选择应符合下列规定：

1 需屏蔽外部的电气干扰时，应选用无孔金属托盘加实体盖板；

2 在易燃粉尘场所，宜选用梯架，每一层桥架应设置实体盖板；

3 高温、腐蚀性液体或油的溅落等需防护场所，宜选用有孔托盘，每一层桥架应设置实体盖板；

4 需因地制宜组装时，可选用组装式托盘；

5 除本条第1款～第4款规定的情况外，宜选用梯架。

6.2.8 梯架、托盘的直线段超过下列长度时，应留有不少于20mm的伸缩缝：

1 钢制30m；

2 铝合金或玻璃钢制15m。

6.2.9 金属制桥架系统应设置可靠的电气连接并接地。采用玻璃钢桥架时，应沿桥架全长另敷设专用保护导体。

6.2.10 振动场所的桥架系统，包括接地部位的螺栓连接处，应装置弹簧垫圈。

6.2.11 要求防火的金属桥架，除应符合本标准第7章的规定外，尚应对金属构件外表面施加防火涂层，防火涂料应符合现行国家标准《钢结构防火涂料》GB 14907的规定。

7 电缆防火与阻止延燃

7.0.1 对电缆可能着火蔓延导致严重事故的回路、易受外部影响波及火灾的电缆密集场所，应设置适当的防火分隔，并应按工程重要性、火灾概率及其特点和经济合理等因素，采取下列安全措施：

1 实施防火分隔；

2 采用阻燃电缆；

3 采用耐火电缆；

4 增设自动报警和/或专用消防装置。

7.0.2 防火分隔方式选择应符合下列规定：

1 电缆构筑物中电缆引至电气柜、盘或控制屏、台的开孔部位，电缆贯穿隔墙、楼板的孔洞处，工作井中电缆管孔等均应实施防火封堵。

2 在电缆沟、隧道及架空桥架中的下列部位，宜设置防火墙或阻火段：

1) 公用电缆沟、隧道及架空桥架主通道的分支处；

2) 多段配电装置对应的电缆沟、隧道分段处；

3) 长距离电缆沟、隧道及架空桥架相隔约 100m 处，或隧道通风区段处，厂、站外相隔约 200m 处；

4) 电缆沟、隧道及架空桥架至控制室或配电装置的入口、厂区围墙处。

3 与电力电缆同通道敷设的控制电缆、非阻燃通信光缆，应采取穿入阻燃管或耐火电缆槽盒，或采取在电力电缆和控制电缆之间设置防火封堵板材。

4 在同一电缆通道中敷设多回路 110kV 及以上电压等级电缆时，宜分别布置在通道的两侧。

5　在电缆竖井中，宜按每隔 7m 或建（构）筑物楼层设置防火封堵。

7.0.3　实施防火分隔的技术特性应符合下列规定：

1　防火封堵的构成，应按电缆贯穿孔洞状况和条件，采用相适合的防火封堵材料或防火封堵组件；用于电力电缆时，宜对载流量影响较小；用在楼板孔、电缆竖井时，其结构支撑应能承受检修、巡视人员的荷载；

2　防火墙、阻火段的构成，应采用适合电缆敷设环境条件的防火封堵材料，且应在可能经受积水浸泡或鼠害作用下具有稳固性；

3　除通向主控室、厂区围墙或长距离隧道中按通风区段分隔的防火墙部位应设置防火门外，其他情况下，有防止窜燃措施时可不设防火门；防窜燃方式，可在防火墙紧靠两侧不少于 1m 区段的所有电缆上施加防火涂料、阻火包带或设置挡火板等；

4　防火封堵、防火墙和阻火段等防火封堵组件的耐火极限不应低于贯穿部位构件（如建筑物墙、楼板等）的耐火极限，且不应低于 1h，其燃烧性能、理化性能和耐火性能应符合现行国家标准《防火封堵材料》GB 23864 的规定，测试工况应与实际使用工况一致。

7.0.4　非阻燃电缆用于明敷时，应符合下列规定：

1　在易受外因波及而着火的场所，宜对该范围内的电缆实施防火分隔；对重要电缆回路，可在适当部位设置阻火段实施阻止延燃；防火分隔或阻火段可采取在电缆上施加防火涂料、阻火包带；当电缆数量较多时，也可采用耐火电缆槽盒或阻火包等；

2　在接头两侧电缆各约 3m 区段和该范围内邻近并行敷设的其他电缆上，宜采用防火涂料或阻火包带实施阻止延燃。

7.0.5　在火灾概率较高、灾害影响较大的场所，明敷方式下电缆的选择应符合下列规定：

1　火力发电厂主厂房、输煤系统、燃油系统及其他易燃易爆场所，宜选用阻燃电缆；

2　地下变电站、地下客运或商业设施等人流密集环境中的回路，应选用低烟、无卤阻燃电缆；

3　其他重要的工业与公共设施供配电回路，宜选用阻燃电缆或低烟、无卤阻燃电缆。

7.0.6　阻燃电缆的选用应符合下列规定：

1　电缆多根密集配置时的阻燃电缆，应采用符合现行行业标准《阻燃及耐火电缆　塑料绝缘阻燃及耐火电缆分级及要求　第1部分：阻燃电缆》GA 306.1 规定的阻燃电缆，并应根据电缆配置情况、所需防止灾难性事故和经济合理的原则，选择适合的阻燃等级和类别；

2　当确定该等级和类别阻燃电缆能满足工作条件下有效阻止延燃性时，可减少本标准第 7.0.4 条的要求；

3　在同一通道中，不宜将非阻燃电缆与阻燃电缆并列配置。

7.0.7　在外部火势作用一定时间内需维持通电的下列场所或回路，明敷的电缆应实施防火分隔或采用耐火电缆：

1　消防、报警、应急照明、断路器操作直流电源和发电机组紧急停机的保安电源等重要回路；

2　计算机监控、双重化继电保护、保安电源或应急电源等双回路合用同一电缆通道又未相互隔离时的其中一个回路；

3　火力发电厂水泵房、化学水处理、输煤系统、油泵房等重要电源的双回供电回路合用同一电缆通道又未相互隔离时的其中一个回路；

4　油罐区、钢铁厂中可能有熔化金属溅落等易燃场所；

5　其他重要公共建筑设施等需有耐火要求的回路。

7.0.8　对同一通道中数量较多的明敷电缆实施防火分隔方式，宜敷设于耐火电缆槽盒内，也可敷设于同一侧支架的不同层或同一通道的两侧，但层间和两侧间应设置防火封堵板材，其耐火极限不应低于 1h。

7.0.9　耐火电缆用于发电厂等明敷有多根电缆配置中，或位于油管、有熔化金属溅落等可能波及场所时，应采用符合现行行业标准《阻燃及耐火电缆 塑料绝缘阻燃及耐火电缆分级及要求 第2部分：耐火电缆》GA 306.2 规定的 A 类耐火电缆（ⅠA 级～ⅣA 级）。除上述情况外且为少量电缆配置时，可采用符合现行行业标准《阻燃及耐火电缆 塑料绝缘阻燃及耐火电缆分级及要求 第2部分：耐火电缆》GA 306.2 规定的耐火电缆（Ⅰ级～Ⅳ级）。

7.0.10 在油罐区、重要木结构公共建筑、高温场所等其他耐火要求高且敷设安装和经济合理时，可采用矿物绝缘电缆。

7.0.11 自容式充油电缆明敷在要求实施防火处理的公用廊道、客运隧洞、桥梁等处时，可采取埋砂敷设。

7.0.12 在安全性要求较高的电缆密集场所或封闭通道中，应配备适用于环境的可靠动作的火灾自动探测报警装置。明敷充油电缆的供油系统宜设置反映喷油状态的火灾自动报警和闭锁装置。

7.0.13 在地下公共设施的电缆密集部位，多回充油电缆的终端设置处等安全性要求较高的场所，可装设水喷雾灭火等专用消防设施。

7.0.14 用于防火分隔的材料产品应符合下列规定：

1 防火封堵材料不得对电缆有腐蚀和损害，且应符合现行国家标准《防火封堵材料》GB 23864 的规定；

2 防火涂料应符合现行国家标准《电缆防火涂料》GB 28374 的规定；

3 用于电力电缆的耐火电缆槽盒宜采用透气型，且应符合现行国家标准《耐火电缆槽盒》GB 29415 的规定；

4 采用的材料产品应适用于工程环境，并应具有耐久可靠性。

7.0.15 核电厂常规岛及其附属设施的电缆防火还应符合现行国家标准《核电厂常规岛设计防火规范》GB 50745 的规定。

附录A 常用电力电缆导体的最高允许温度

表A 常用电力电缆导体的最高允许温度

电缆			最高允许温度(℃)	
绝缘类别	型式特征	电压(kV)	持续工作	短路暂态
聚氯乙烯	普通	≤1	70	160(140)
交联聚乙烯	普通	≤500	90	250
自容式充油	普通牛皮纸	≤500	80	160
	半合成纸	≤500	85	160

注:括号内数值适用于截面大于300mm^{2}的聚氯乙烯绝缘电缆。

附录B　10kV及以下电力电缆经济电流截面选用方法和经济电流密度曲线

B.0.1　10kV及以下电力电缆经济电流密度宜按下式计算：

$$j=\frac{I_{max}}{S_{ec}}=(A/\{F\rho_{20}B[1+\alpha_{20}(\theta_m-20)]\})^{0.5}/1000 \quad (B.0.1\text{-}1)$$

$$F=N_PN_C(\tau P+D)Q/(1+i/100) \quad (B.0.1\text{-}2)$$

$$CT=CI+I_{max}^2RLF \quad (B.0.1\text{-}3)$$

$$Q=\sum_{n=1}^{N}(r^{n-1})=(1-r^N)/(1-r) \quad (B.0.1\text{-}4)$$

$$r=(1+a/100)^2(1+b/100)/(1+i/100) \quad (B.0.1\text{-}5)$$

$$B=(1+Y_P+Y_S)(1+\lambda_1+\lambda_2) \quad (B.0.1\text{-}6)$$

式中：j——导体的经济电流密度（A/mm²）；

A——与导体截面有关的费用的可变部分[元/(m·mm²)]；

I_{max}——导体最大负荷电流(A)；

S_{ec}——导体的经济截面(mm²)；

ρ_{20}——导体直流电阻率(Ω·m)；

α_{20}——实际导体材料20℃时电阻温度系数(1/K)；

θ_m——导体温度(℃)；

N_P——每回路的相线数目；

N_C——传输同样型号和负荷值的回路数；

τ——最大损耗的运行时间(h/a)；

P——在相关电压水平上1kW·h的成本[元/(kW·h)]；

D——供给电能损耗的额外供电容量成本[元/(kW·a)]；

CI——导体本体及安装成本(元);

CT——导体总成本(元);

R——单位长度的交流电阻(Ω/m);

L——电缆长度(m);

a——负荷年增长率(%);

b——能源成本增长率(%),不计及通货膨胀的影响;

i——贴现率(%),不包括通货膨胀的影响;

N——导体经济寿命期(a);

Y_P、Y_S——集肤效应系数和邻近效应系数;

λ_1、λ_2——金属套系数和铠装损耗系数。

B.0.2 10kV及以下电力电缆经济电流密度宜按经济电流密度曲线查阅,并应符合下列规定:

1 图B.0.2-1～图B.0.2-6:适用于单一制电价;

2 图B.0.2-7～图B.0.2-12:适用于两部制电价[D值取424元/(kW·a)];

3 曲线1:适用于VLV-1(3芯、4芯)及VLV_{22}-1(3芯、4芯)电力电缆;

4 曲线2:适用于YJLV-10、$YJLV_{22}$-10、YJLV-6及$YJLV_{22}$-6电力电缆;

5 曲线3:适用于YJLV-1(3芯、4芯)及$YJLV_{22}$-1(3芯、4芯)电力电缆;

6 曲线4:适用于YJV-1(3芯、4芯)、YJV_{22}-1(3芯、4芯)、YJV-6、YJV_{22}-6、YJV-10及YJV_{22}-10电力电缆;

7 曲线5:适用于VV-1(3芯、4芯)及VV_{22}-1(3芯、4芯)电力电缆。

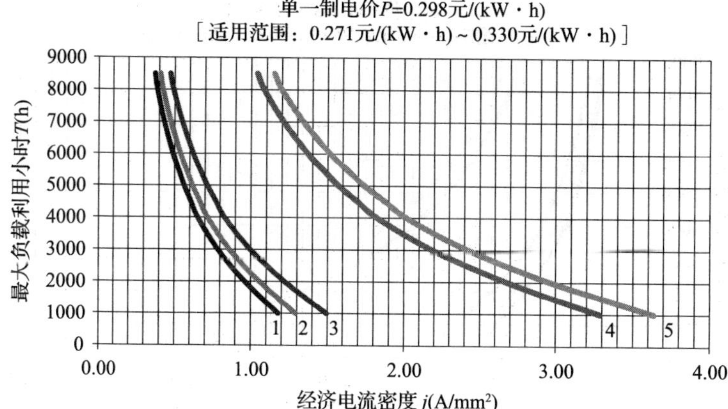

图 B.0.2-1　铜、铝电缆经济电流密度[单一制电价 $P=0.298$ 元/(kW·h)]

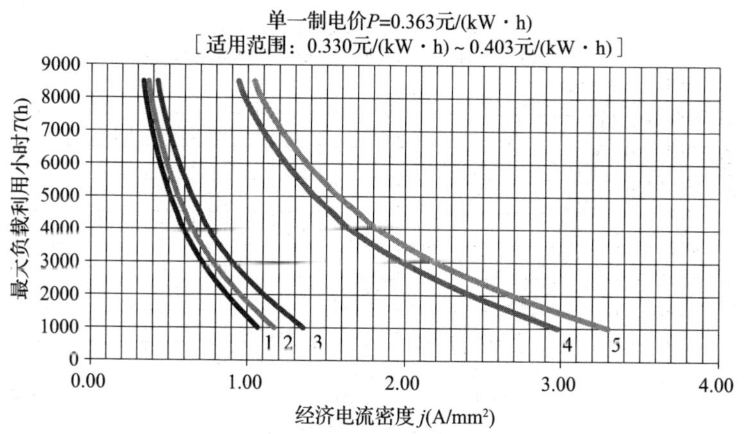

图 B.0.2-2　铜、铝电缆经济电流密度[单一制电价 $P=0.363$ 元/(kW·h)]

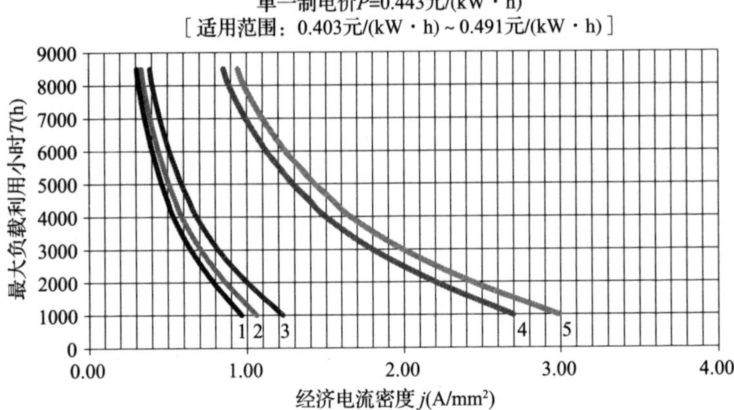

图 B.0.2-3　铜、铝电缆经济电流密度[单一制电价 $P=0.443$ 元/(kW·h)]

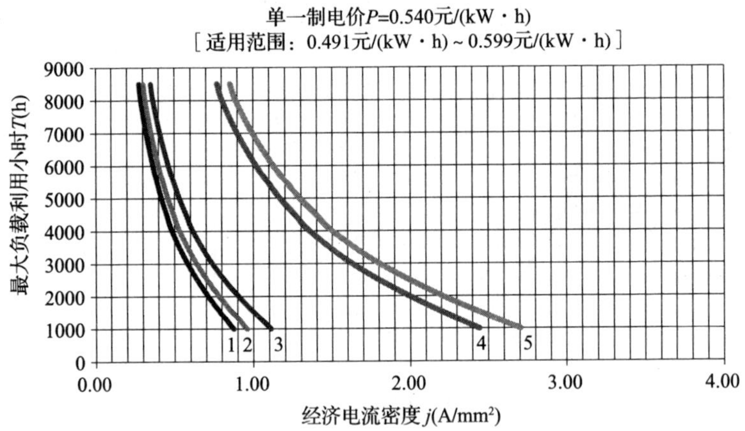

图 B.0.2-4　铜、铝电缆经济电流密度[单一制电价 $P=0.540$ 元/(kW·h)]

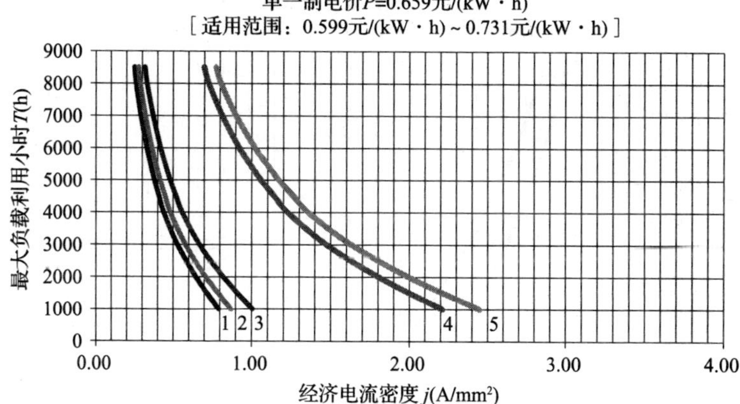

图 B.0.2-5　铜、铝电缆经济电流密度[单一制电价 P=0.659 元/(kW·h)]

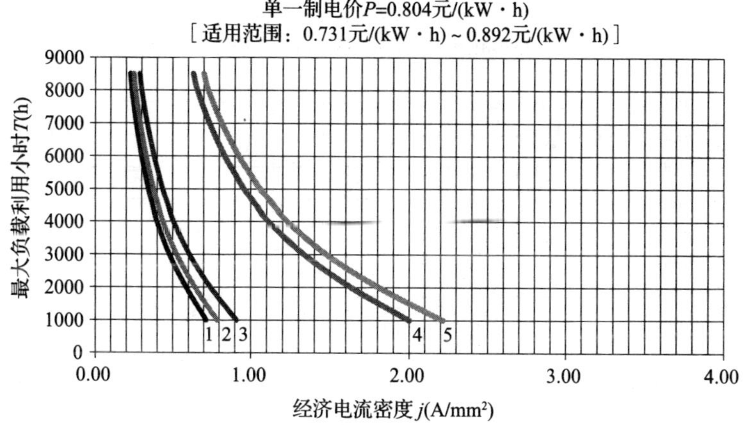

图 B.0.2-6　铜、铝电缆经济电流密度[单一制电价 P=0.804 元/(kW·h)]

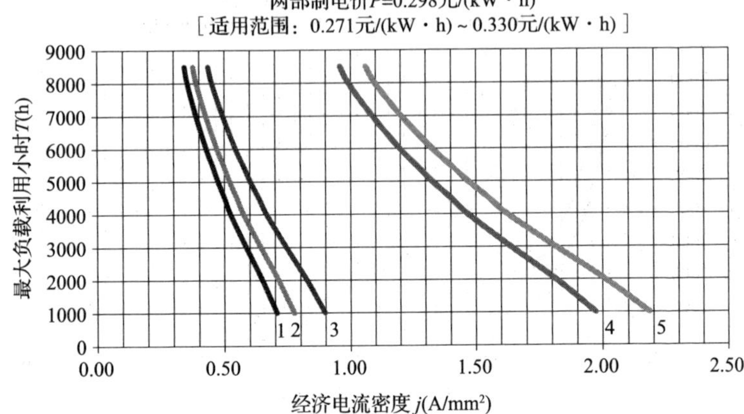

图 B.0.2-7　铜、铝电缆经济电流密度[两部制电价 $P=0.298$ 元/(kW·h)]

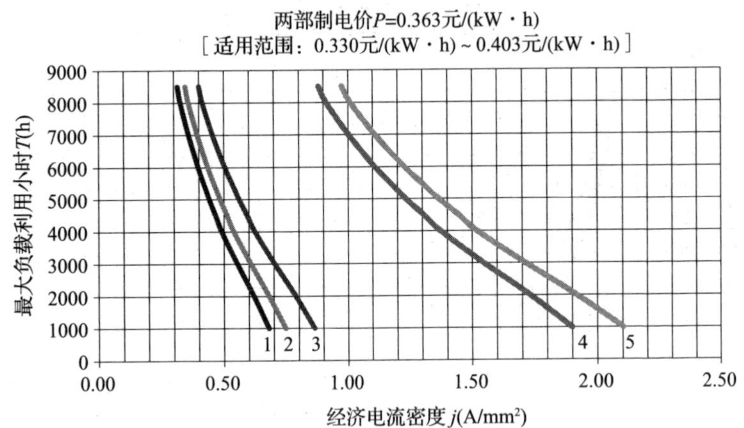

图 B.0.2-8　铜、铝电缆经济电流密度[两部制电价 $P=0.363$ 元/(kW·h)]

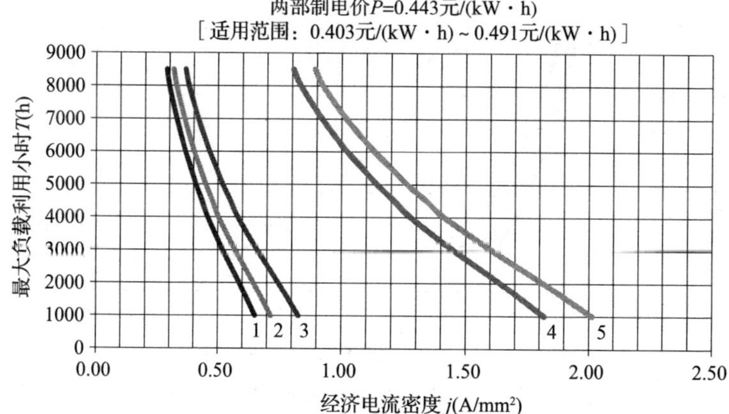

图 B.0.2-9　铜、铝电缆经济电流密度[两部制电价 $P=0.443$ 元/(kW・h)]

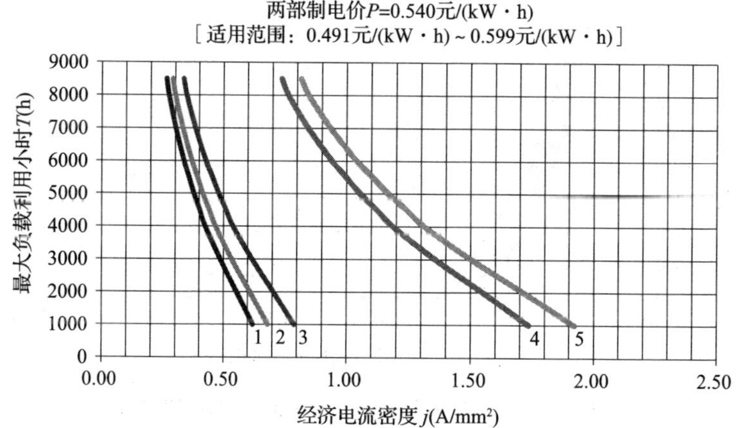

图 B.0.2-10　铜、铝电缆经济电流密度[两部制电价 $P=0.540$ 元/(kW・h)]

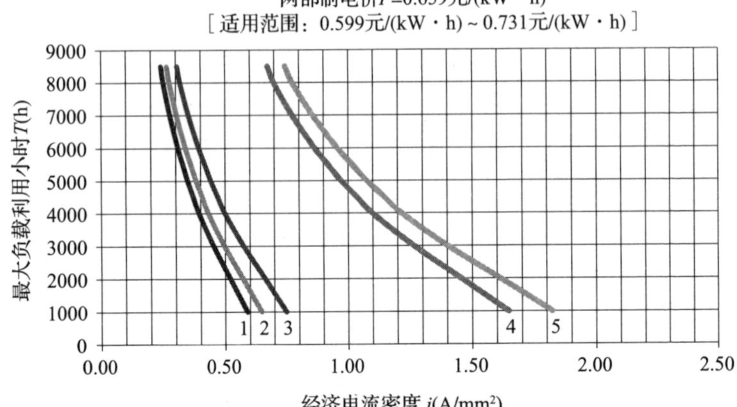

图 B.0.2-11　铜、铝电缆经济电流密度[两部制电价 $P=0.659$ 元/(kW・h)]

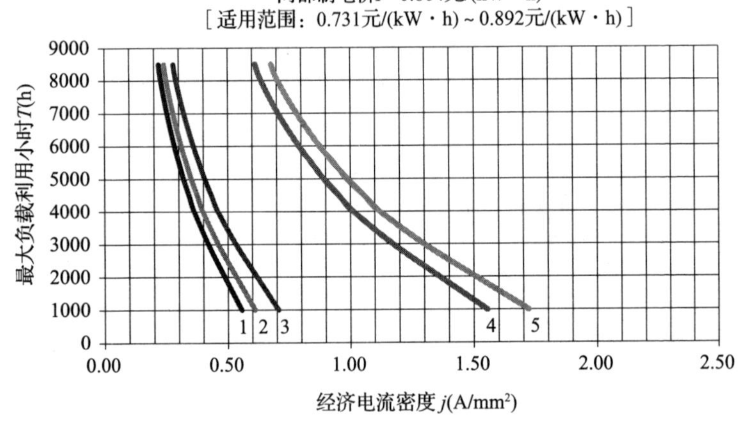

图 B.0.2-12　铜、铝电缆经济电流密度[两部制电价 $P=0.804$ 元/(kW・h)]

B.0.3　10kV 及以下电力电缆按经济电流截面选择，应符合下列规定：

1　宜按照工程条件、电价(要区分单一制电价与两部制电价)、电缆成本、贴现率等计算拟选用的10kV及以下铜芯或铝芯的聚氯乙烯、交联聚乙烯绝缘等电缆的经济电流密度值；

2 对备用回路的电缆，如备用的电动机回路等，宜根据其运行情况对其运行小时数进行折算后选择电缆截面。对一些长期不使用的回路，不宜按经济电流密度选择截面；

3 当电缆经济电流截面比按热稳定、允许电压降或持续载流量要求的截面小时，则应按热稳定、允许电压降或持续载流量较大要求截面选择。当电缆经济电流截面介于电缆标称截面挡次之间时，可视其接近程度，选择较接近一挡截面。

附录C 10kV及以下常用电力电缆100%持续允许载流量

C.0.1 1kV～3kV常用电力电缆持续允许载流量见表C.0.1-1～表C.0.1-4。

表C.0.1-1 1kV聚氯乙烯绝缘电缆空气中敷设时持续允许载流量(A)

绝缘类型		聚氯乙烯		
护套		无钢铠护套		
电缆导体最高工作温度(℃)		70		
电缆芯数		单芯	2芯	3芯或4芯
电缆导体截面(mm^2)	2.5	—	18	15
	4	—	24	21
	6	—	31	27
	10	—	44	38
	16	—	60	52
	25	95	79	69
	35	115	95	82
	50	147	121	104
	70	179	147	129
	95	221	181	155
	120	257	211	181
	150	294	242	211
	185	340	—	246
	240	410	—	294
	300	473	—	328
环境温度(℃)		40		

注:1 适用于铝芯电缆,铜芯电缆的持续允许载流量值可乘以1.29;

2 单芯只适用于直流。

表 C.0.1-2　1kV 聚氯乙烯绝缘电缆直埋敷设时持续允许载流量(A)

绝缘类型		聚氯乙烯					
护套		无钢铠护套			有钢铠护套		
电缆导体最高工作温度(℃)		70					
电缆芯数		单芯	2 芯	3 芯或 4 芯	单芯	2 芯	3 芯或 4 芯
电缆导体截面(mm²)	4	47	36	31	—	34	30
	6	58	45	38	—	43	37
	10	81	62	53	77	59	50
	16	110	83	70	105	79	68
	25	138	105	90	134	100	87
	35	172	136	110	162	131	105
	50	203	157	134	194	152	129
	70	244	184	157	235	180	152
	95	295	226	189	281	217	180
	120	332	254	212	319	249	207
	150	374	287	242	365	273	237
	185	424	—	273	410	—	264
	240	502	—	319	483	—	310
	300	561	—	347	543	—	347
	400	639	—	—	625	—	—
	500	729	—	—	715	—	—
	630	846	—	—	819	—	—
	800	981	—	—	963	—	—
土壤热阻系数(K·m/W)		1.2					
环境温度(℃)		25					

注：1　适用于铝芯电缆，铜芯电缆的持续允许载流量值可乘以 1.29；

　　2　单芯只适用于直流。

表 C.0.1-3 1kV～3kV 交联聚乙烯绝缘电缆空气中敷设时持续允许载流量(A)

电缆芯数		3芯		单芯							
单芯电缆排列方式				品字形				水平形			
金属套接地点				单侧		两侧		单侧		两侧	
电缆导体材质		铝	铜	铝	铜	铝	铜	铝	铜	铝	铜
电缆导体截面(mm^2)	25	91	118	100	132	100	132	114	150	114	150
	35	114	150	127	164	127	164	146	182	141	178
	50	146	182	155	196	155	196	173	228	168	209
	70	178	228	196	255	196	251	228	292	214	264
	95	214	273	241	310	241	305	278	356	260	310
	120	246	314	283	360	278	351	319	410	292	351
	150	278	360	328	419	319	401	365	479	337	392
	185	319	410	372	479	365	461	424	546	369	438
	240	378	483	442	565	424	546	502	643	424	502
	300	419	552	506	643	493	611	588	738	479	552
	400	—	—	611	771	579	716	707	908	546	625
	500	—	—	712	885	661	803	830	1026	611	693
	630	—	—	826	1008	734	894	963	1177	680	757
环境温度(℃)		40									
电缆导体最高工作温度(℃)		90									

注:1 持续允许载流量的确定还应符合本标准第3.6.4条的规定;

2 水平形排列电缆相互间中心距为电缆外径的2倍。

表 C.0.1-4　1kV～3kV 交联聚乙烯绝缘电缆直埋敷设时持续允许载流量(A)

电缆芯数		3芯		单芯			
单芯电缆排列方式				品字形		水平形	
金属套接地点				单侧		单侧	
电缆导体材质		铝	铜	铝	铜	铝	铜
电缆导体截面（mm^2）	25	91	117	104	130	113	143
	35	113	143	117	169	134	169
	50	134	169	139	187	160	200
	70	165	208	174	226	195	247
	95	195	247	208	269	230	295
	120	221	282	239	300	261	334
	150	247	321	269	339	295	374
	185	278	356	300	382	330	426
	240	321	408	348	435	378	478
	300	365	469	391	495	430	543
	400	—	—	456	574	500	635
	500	—	—	517	635	565	713
	630	—	—	582	704	635	796
电缆导体最高工作温度(℃)		90					
土壤热阻系数（K・m/W）		2.0					
环境温度(℃)		25					

注：水平形排列电缆相互间中心距为电缆外径的2倍。

C.0.2 6kV 3芯交联聚乙烯绝缘电缆持续允许载流量见表C.0.2。

表C.0.2 6kV 3芯交联聚乙烯绝缘电缆持续允许载流量(A)

绝缘类型		交联聚乙烯			
钢铠护套		无		有	
电缆导体最高工作温度(℃)		90			
敷设方式		空气中	直埋	空气中	直埋
电缆导体截面(mm^2)	25	—	87	—	87
	35	114	105	—	102
	50	141	123	—	118
	70	173	148	—	148
	95	209	178	—	178
	120	246	200	—	200
	150	277	232	—	222
	185	323	262	—	252
	240	378	300	—	295
	300	432	343	—	333
	400	505	380	—	370
	500	584	432	—	422
环境温度(℃)		40	25	40	25
土壤热阻系数(K·m/W)		—	2.0	—	2.0

注:1 适用于铝芯电缆,铜芯电缆的持续允许载流量值可乘以1.29;
2 电缆导体工作温度大于70℃时,持续允许载流量还应符合本标准第3.6.4条的规定。

C.0.3 10kV 3芯交联聚乙烯绝缘电缆持续允许载流量见表C.0.3。

表 C.0.3　10kV 3 芯交联聚乙烯绝缘电缆持续允许载流量(A)

绝 缘 类 型		交联聚乙烯			
钢铠护套		无		有	
电缆导体最高工作温度(℃)		90			
敷设方式		空气中	直埋	空气中	直埋
电缆导体截面(mm²)	25	100	90	100	90
	35	123	110	123	105
	50	146	125	141	120
	70	178	152	173	152
	95	219	182	214	182
	120	251	205	246	205
	150	283	223	278	219
	185	324	252	320	247
	240	378	292	373	292
	300	433	332	428	328
	400	506	378	501	374
	500	579	428	574	424
环境温度(℃)		40	25	40	25
土壤热阻系数(K·m/W)		—	2.0	—	2.0

注:1　适用于铝芯电缆,铜芯电缆的持续允许载流量值可乘以 1.29;

2　电缆导体工作温度大于 70℃时,持续允许载流量还应符合本标准第 3.6.4 条的规定。

附录D　敷设条件不同时电缆持续允许载流量的校正系数

D.0.1　10kV及以下电缆在不同环境温度时的载流量校正系数见表D.0.1。

表D.0.1　10kV及以下电缆在不同环境温度时的载流量校正系数

敷设位置		空气中				土壤中			
环境温度(℃)		30	35	40	45	20	25	30	35
电缆导体最高工作温度(℃)	60	1.22	1.11	1.0	0.86	1.07	1.0	0.93	0.85
	65	1.18	1.09	1.0	0.89	1.06	1.0	0.94	0.87
	70	1.15	1.08	1.0	0.91	1.05	1.0	0.94	0.88
	80	1.11	1.06	1.0	0.93	1.04	1.0	0.95	0.90
	90	1.09	1.05	1.0	0.94	1.04	1.0	0.96	0.92

D.0.2　除表D.0.1以外的其他环境温度下载流量的校正系数可按下式计算：

$$K=\sqrt{\frac{\theta_m-\theta_2}{\theta_m-\theta_1}} \tag{D.0.2}$$

式中：θ_m——电缆导体最高工作温度(℃)；

θ_1——对应于额定载流量的基准环境温度(℃)；

θ_2——实际环境温度(℃)。

D.0.3　不同土壤热阻系数时电缆载流量的校正系数见表D.0.3。

表D.0.3　不同土壤热阻系数时电缆载流量的校正系数

土壤热阻系数(K·m/W)	分类特征(土壤特性和雨量)	校正系数
0.8	土壤很潮湿，经常下雨。如湿度大于9%的沙土，湿度大于10%的沙-泥土等	1.05

续表 D.0.3

土壤热阻系数（K·m/W）	分类特征（土壤特性和雨量）	校正系数
1.2	土壤潮湿，规律性下雨。如湿度大于7%但小于9%的沙土，湿度为12%～14%的沙-泥土等	1.00
1.5	土壤较干燥，雨量不大。如湿度为8%～12%的沙-泥土等	0.93
2.0	土壤干燥，少雨。如湿度大于4%但小于7%的沙土，湿度为4%～8%的沙-泥土等	0.87
3.0	多石地层，非常干燥。如湿度小于4%的沙土等	0.75

注：1 适用于缺乏实测土壤热阻系数时的粗略分类，对110kV及以上电缆线路工程，宜以实测方式确定土壤热阻系数；

2 校正系数仅适用于本标准附录C中表C.0.1-2采取土壤热阻系数为1.2K·m/W的情况，不适用于三相交流系统的高压单芯电缆。

D.0.4 土壤中直埋多根并行敷设时电缆载流量的校正系数见表D.0.4。

表 D.0.4 土壤中直埋多根并行敷设时电缆载流量的校正系数

并列根数		1	2	3	4	5	6
电缆之间净距（mm）	100	1	0.90	0.85	0.80	0.78	0.75
	200	1	0.92	0.87	0.84	0.82	0.81
	300	1	0.93	0.90	0.87	0.86	0.85

注：本表不适用于三相交流系统单芯电缆。

D.0.5 空气中单层多根并行敷设时电缆载流量的校正系数见表D.0.5。

表 D.0.5 空气中单层多根并行敷设时电缆载流量的校正系数

并列根数		1	2	3	4	5	6
电缆中心距	$S=d$	1.00	0.90	0.85	0.82	0.81	0.80
	$S=2d$	1.00	1.00	0.98	0.95	0.93	0.90
	$S=3d$	1.00	1.00	1.00	0.98	0.97	0.96

注:1 S 为电缆中心间距,d 为电缆外径;

2 按全部电缆具有相同外径条件制订,当并列敷设的电缆外径不同时,d 值可近似地取电缆外径的平均值;

3 本表不适用于三相交流系统单芯电缆。

D.0.6 电缆桥架上无间距配置多层并列电缆载流量的校正系数见表 D.0.6。

表 D.0.6 电缆桥架上无间距配置多层并列电缆载流量的校正系数

叠置电缆层数		1	2	3	4
桥架类别	梯架	0.80	0.65	0.55	0.50
	托盘	0.70	0.55	0.50	0.45

注:呈水平状并列电缆数不少于 7 根。

D.0.7 1kV~6kV 电缆户外明敷无遮阳时载流量的校正系数见表 D.0.7。

表 D.0.7 1kV~6kV 电缆户外明敷无遮阳时载流量的校正系数

电缆截面(mm^2)				35	50	70	95	120	150	185	240
电压(kV)	1	芯数	3	—	—	—	0.90	0.98	0.97	0.96	0.94
	6		3	0.96	0.95	0.94	0.93	0.92	0.91	0.90	0.88
			单	—	—	—	0.99	0.99	0.99	0.99	0.98

注:运用本表系数校正对应的载流量基础值,是采取户外环境温度的户内空气中电缆载流量。

附录E 按短路热稳定条件计算电缆导体允许最小截面的方法

E.1 固体绝缘电缆导体允许最小截面

E.1.1 电缆导体允许最小截面应按下列公式确定：

$$S \geqslant \frac{\sqrt{Q}}{C} \tag{E.1.1-1}$$

$$C = \frac{1}{\eta}\sqrt{\frac{Jq}{\alpha K\rho}\ln\frac{1+\alpha(\theta_{m}-20)}{1+\alpha(\theta_{p}-20)}} \times 10^{-2} \tag{E.1.1-2}$$

$$\theta_{p} = \theta_{o} + (\theta_{H} - \theta_{o})\left(\frac{I_{p}}{I_{H}}\right)^{2} \tag{E.1.1-3}$$

式中：S——电缆导体截面（mm^2）；

J——热功当量系数，取 1.0；

q——电缆导体的单位体积热容量［J/（cm^3·℃）］，铝芯取 2.48J/（cm^3·℃），铜芯取 3.4J/（cm^3·℃）；

θ_m——短路作用时间内电缆导体最高允许温度（℃）；

θ_p——短路发生前的电缆导体最高工作温度（℃）；

θ_H——电缆额定负荷的电缆导体最高允许工作温度（℃）；

θ_o——电缆所处的环境温度最高值（℃）；

I_H——电缆的额定负荷电流（A）；

I_p——电缆实际最大工作电流（A）；

α——20℃时电缆导体的电阻温度系数（1/℃），铜芯为 0.00393/℃，铝芯为 0.00403/℃；

ρ——20℃时电缆导体的电阻系数（Ω·cm^2/cm），铜芯为 0.01724×10^{-4}Ω·cm^2/cm，铝芯为 0.02826×10^{-4}Ω·cm^2/cm；

η——计入包含电缆导体充填物热容影响的校正系数，对

3kV～10kV 电动机馈线回路，宜取 $\eta=0.93$，其他情况可取 $\eta=1.00$；

K——电缆导体的交流电阻与直流电阻之比值，可由表 E.1.1 选取。

表 E.1.1　K 值选择用表

电缆类型		6kV～35kV 挤塑					自容式充油		
导体截面(mm^2)		95	120	150	185	240	240	400	600
芯数	单芯	1.002	1.003	1.004	1.006	1.010	1.003	1.011	1.029
	多芯	1.003	1.006	1.008	1.009	1.021	—	—	—

E.1.2　除电动机馈线回路外，均可取 $\theta_p=\theta_H$ 。

E.1.3　Q 值确定方式应符合下列规定：

1　对发电厂 3kV～10kV 断路器馈线回路，机组容量为 100MW 及以下时：

$$Q=I^2(t+T_b) \tag{E.1.3-1}$$

式中：I——系统电源供给短路电流的周期分量起始有效值(A)；

t——短路持续时间(s)；

T_b——系统电源非周期分量的衰减时间常数(s)。

2　对发电厂 3kV～10kV 断路器馈线回路，机组容量大于 100MW 时 Q 值表达式见表 E.1.3。

表 E.1.3　机组容量大于 100MW 时 Q 值表达式

t(s)	T_b(s)	T_d(s)	Q 值($A^2\cdot S$)
0.15	0.045	0.062	$0.195I^2+0.22II_d+0.09I_d^2$
	0.060		$0.21I^2+0.23II_d+0.09I_d^2$
0.20	0.045	0.062	$0.245I^2+0.22II_d+0.09I_d^2$
	0.060		$0.26I^2+0.24II_d+0.09I_d^2$

注：1　T_d 为电动机反馈电流的衰减时间常数(s)，I_d 为电动机供给反馈电流的周期分量起始有效值之和(A)；

2　对于电抗器或 $U_o\%$ 小于 10.5 的双绕组变压器，取 $T_b=0.045s$，其他情况取 $T_b=0.060s$；

3　对中速断路器，t 可取 0.15s，对慢速断路器，t 可取 0.20s。

3 除发电厂 3kV～10kV 断路器馈线外的情况：

$$Q = I^2 t \tag{E.1.3-2}$$

E.2 自容式充油电缆导体允许最小截面

E.2.1 电缆导体允许最小截面应满足下式：

$$S^2 + \left(\frac{q_0}{q}S_0\right)S \geqslant \left[\alpha K \rho I^2 t / J q \ln \frac{1+\alpha(\theta_m - 20)}{1+\alpha(\theta_p - 20)}\right] \times 10^4 \tag{E.2.1}$$

式中：S_0　不含油道内绝缘油的电缆导体中绝缘油充填面积（mm^2）；

q_0——绝缘油的单位体积热容量[J/（cm^3 ·℃）]，可取 1.7J/（cm^3 ·℃）。

E.2.2 除对变压器回路的电缆可按最大工作电流作用时的 θ_p 值外，其他情况宜取 $\theta_p = \theta_H$。

附录F　交流系统单芯电缆金属套的正常感应电势计算方法

F.0.1　交流系统中单芯电缆线路1回或2回的各相按通常配置排列情况下，在电缆金属套上任一点非直接接地处的正常感应电势值可按下式计算：

$$E_S = LE_{SO} \tag{F.0.1}$$

式中：E_S——感应电势(V)；

L——电缆金属套的电气通路上任一部位与其直接接地处的距离(km)；

E_{SO}——单位长度的正常感应电势(V/km)。

F.0.2　E_{SO}的表达式见表F.0.2。

表 F.0.2　E_{SO}的表达式

电缆回路数	每根电缆相互间中心距均等时的配置排列特征	A 相或 C 相（边相）	B 相（中间相）	符号 Y	符号 a (Ω/km)	符号 b (Ω/km)	符号 X_S (Ω/km)
1	2 根电缆并列	IX_S	IX_S	—	—	—	$\left(2\omega\ln\frac{S}{r}\right)\times10^{-4}$
	3 根电缆呈等边三角形	IX_S	IX_S	—	—	—	$\left(2\omega\ln\frac{S}{r}\right)\times10^{-4}$
	3 根电缆呈直角形	$\frac{I}{2}\sqrt{3Y^2+\left(X_S-\frac{a}{2}\right)^2}$	IX_S	$X_S+\frac{a}{2}$	$(2\omega\ln2)\times10^{-4}$	—	$\left(2\omega\ln\frac{S}{r}\right)\times10^{-4}$
	3 根电缆呈直线并列	$\frac{I}{2}\sqrt{3Y^2+(X_S-a)^2}$	IX_S	X_S+a	$(2\omega\ln2)\times10^{-4}$	—	$\left(2\omega\ln\frac{S}{r}\right)\times10^{-4}$

续表 F. 0. 2

电缆回路数	每根电缆相互间中心距均等时的配置排列特征	A相或C相（边相）	B相（中间相）	符号 Y	符号 a（Ω/km）	符号 b（Ω/km）	符号 X_S（Ω/km）
2	两回电缆等距直线并列（同相序）	$\frac{I}{2}\sqrt{3Y^2+\left(X_S-\frac{b}{2}\right)^2}$	$I\left(X_S+\frac{a}{2}\right)$	$X_S+a+\frac{b}{2}$	$(2\omega\ln 2)\times 10^{-4}$	$(2\omega\ln 5)\times 10^{-4}$	$\left(2\omega\ln\frac{S}{r}\right)\times 10^{-4}$
	两回电缆等距直线并列（逆相序）	$\frac{I}{2}\sqrt{3Y^2+\left(X_S-\frac{b}{2}\right)^2}$	$I\left(X_S+\frac{a}{2}\right)$	$X_S+a-\frac{b}{2}$	$(2\omega\ln 2)\times 10^{-4}$	$(2\omega\ln 5)\times 10^{-4}$	$\left(2\omega\ln\frac{S}{r}\right)\times 10^{-4}$

注：1 $\omega=2\pi f$；

2 r 为电缆金属套的平均半径（m）；

3 I 为电缆导体正常工作电流（A）；

4 f 为工作频率（Hz）；

5 S 为各电缆相邻之间中心距（m）；

6 回路电缆情况，假定 I、r 均等。

附录G 35kV及以下电缆敷设度量时的附加长度

表G 35kV及以下电缆敷设度量时的附加长度

项目名称		附加长度(m)
电缆终端的制作		0.5
电缆接头的制作		0.5
由地坪引至各设备的终端处	电动机(按接线盒对地坪的实际高度)	0.5～1.0
	配电屏	1.0
	车间动力箱	1.5
	控制屏或保护屏	2.0
	厂用变压器	3.0
	主变压器	5.0
	磁力启动器或事故按钮	1.5

注:对厂区引入建筑物,直埋电缆因地形及埋设的要求,电缆沟、隧道、吊架的上下引接,电缆终端、接头等所需的电缆预留量,可取图纸量出的电缆敷设路径长度的5%。

附录H 电缆穿管敷设时允许最大管长的计算方法

H.0.1 电缆穿管敷设时的允许最大管长应按不超过电缆允许拉力和侧压力的下列公式确定：

$$T_{i=n} \leqslant T_{\mathrm{m}} \text{ 或 } T_{j=m} \leqslant T_{\mathrm{m}} \quad \text{(H.0.1-1)}$$

$$P_j \leqslant P_{\mathrm{m}}(j=1,2\cdots\cdots) \quad \text{(H.0.1-2)}$$

式中：$T_{i=n}$——从电缆送入管端起至第 n 个直线段拉出时的牵引力(N)；

$T_{j=m}$——从电缆送入管端起至第 m 个弯曲段拉出时的牵引力(N)；

T_{m}——电缆允许拉力(N)；

P_j——电缆在 j 个弯曲管段的侧压力(N/m)；

P_{m}——电缆允许侧压力(N/m)。

H.0.2 水平管路的电缆牵拉力可按下列公式计算：

1 直线段：

$$T_i = T_{i-1} + \mu CWL_i \quad \text{(H.0.2-1)}$$

2 弯曲段：

$$T_j = T_i \mathrm{e}^{\mu\theta_j} \quad \text{(H.0.2-2)}$$

式中：T_{i-1}——直线段入口拉力(N)，起始拉力 $T_0 = T_{i-1}(i=1)$，可按 20m 左右长度电缆摩擦力计，其他各段按相应弯曲段出口拉力计；

μ——电缆与管道间的动摩擦系数；

W——电缆单位长度的重量(kg/m)；

C——电缆重量校正系数，2 根电缆时，$C_2=1.1$；3 根电缆品字形时，$C_3=1+\left[\frac{4}{3}+\left(\frac{d}{D-d}\right)^2\right]$；

L_i——第 i 段直线管长(m)；

θ_j——第 j 段弯曲管的夹角角度(rad)；

d——电缆外径(mm)；

D——保护管内径(mm)。

H. 0. 3 弯曲管段电缆侧压力可按下列公式计算：

1 1 根电缆：

$$P_j=T_j/R_j \quad (H.0.3\text{-}1)$$

式中：R_j——第 j 段弯曲管道内半径(m)。

2 2 根电缆：

$$P_j=1.1T_j/2R_j \quad (H.0.3\text{-}2)$$

3 3 根电缆呈品字形：

$$P_j=C_3T_j/2R_j \quad (H.0.3\text{-}3)$$

H. 0. 4 电缆允许拉力应按承受拉力材料的抗张强度计入安全系数确定。可采取牵引头或钢丝网套等方式牵引。

用牵引头方式的电缆允许拉力可按下式计算：

$$T_m=k\sigma qs \quad (H.0.4)$$

式中：k——校正系数，电力电缆 $k=1$，控制电缆 $k=0.6$；

σ——导体允许抗拉强度(N/m^2)，铜芯取 $68.6\times10^6 N/m^2$，铝芯取 $39.2\times10^6 N/m^2$；

q——电缆芯数；

s——电缆导体截面(m^2)。

H. 0. 5 电缆允许侧压力可采取下列数值：

1 分相统包电缆，$P_m=2500N/m$；

2 其他挤塑绝缘或自容式充油电缆，$P_m=3000N/m$。

H. 0. 6 电缆与管道间动摩擦系数可取表 H. 0. 6 所列数值。

表 H.0.6 电缆与管道间动摩擦系数

管壁特征和管材	波纹状	平滑状		
	聚乙烯	聚氯乙烯	钢	石棉水泥
μ	0.35	0.45	0.20	0.65

注:电缆外护层为聚氯乙烯,敷设时加有润滑剂。

本标准用词说明

1 为便于在执行本标准条文时区别对待，对要求严格程度不同的用词说明如下：

1)表示很严格，非这样做不可的：

正面词采用“必须”，反面词采用“严禁”；

2)表示严格，在正常情况下均应这样做的：

正面词采用“应”，反面词采用“不应”或“不得”；

3)表示允许稍有选择，在条件许可时首先应这样做的：

正面词采用“宜”，反面词采用“不宜”；

4)表示有选择，在一定条件下可以这样做的，采用“可”。

2 条文中指明应按其他有关标准执行的写法为：“应符合……的规定”或“应按……执行”。

引用标准名录

《电工铜圆线》GB/T 3953

《电工圆铝线》GB/T 3955

《电缆的导体》GB/T 3956

《核电站用1E级电缆　通用要求》GB/T 22577

《钢结构防火涂料》GB 14907

《防火封堵材料》GB 23864

《电缆防火涂料》GB 28374

《交流金属氧化物避雷器的选择和使用导则》GB/T 28547

《耐火电缆槽盒》GB 29415

《电缆导体用铝合金线》GB/T 30552

《电力装置的电测量仪表装置设计规范》GB/T 50063

《爆炸危险环境电力装置设计规范》GB 50058

《城市工程管线综合规划规范》GB 50289

《核电厂常规岛设计防火规范》GB 50745

《城市综合管廊工程技术规范》GB 50838

《高压交流电缆在线监测系统通用技术规范》DL/T 1506

《电力电缆隧道设计规程》DL/T 5484

《500kV交流海底电缆线路设计技术规程》DL/T 5490

《核电厂电缆系统设计及安装准则》EJ/T 649

《阻燃及耐火电缆　塑料绝缘阻燃及耐火电缆分级及要求　第1部分：阻燃电缆》GA 306.1

《阻燃及耐火电缆　塑料绝缘阻燃及耐火电缆分级及要求　第2部分：耐火电缆》GA 306.2

《电缆载流量计算》JB/T 10181

《防腐电缆桥架》NB/T 42037

中华人民共和国国家标准

电力工程电缆设计标准

GB 50217-2018

条 文 说 明

编 制 说 明

《电力工程电缆设计标准》GB 50217—2018,经住房城乡建设部2017年2月8日以第1827号公告批准发布。

本标准修订过程中,编制组结合电力工程电缆设计进行了广泛的调查研究,总结了近年来我国电力工程建设的实践经验,同时参考了国内外先进的技术法规、技术标准等。本标准修订过程中,编制组还对已建成的电力工程电缆的设计进行了分析、总结经验,在广泛征求意见的基础上,反复讨论研究标准条文。

为便于广大设计、施工和生产单位有关人员在使用本标准时能正确理解和执行条文规定,《电力工程电缆设计标准》编制组按章、节、条顺序修订了本标准的条文说明,对条文规定的目的、依据以及执行中需注意的有关事项进行了说明,还着重对强制性条文的强制性理由做了解释。但是,本条文说明不具备与标准正文同等的法律效力,仅供使用者作为理解和把握标准规定的参考。

目　次

1 总 则

1.0.2 系原条文 1.0.2 修改条文。

修改了本标准的适用范围，并增加了本标准不适用范围。

1.0.3 系原条文 1.0.3 保留条文。

本标准给出各行业系统中的电力工程电缆选择及敷设设计的共性技术要求，属于行业系统的特殊性技术要求，由于相应的国家现行标准如《火力发电厂与变电站设计防火规范》GB 50229、《水利水电工程电缆设计规范》SL 344、《水电工程设计防火规范》GB 50872、《水利工程设计防火规范》GB 50987、《核电厂常规岛设计规范》GB 50958、《核电厂常规岛设计防火规范》GB 50745、《城市电力电缆线路设计技术规定》DL/T 5221、《石油化工企业设计防火规范》GB 50160、《有色金属工程设计防火规范》GB 50630、《建筑设计防火规范》GB 50016 等做了具体规定，工程设计中尚需根据行业特点遵照执行国家现行相关标准。

2 术 语

2.0.1 系原条文 2.0.4 修改条文。

“阻燃电缆”术语系根据现行行业标准《阻燃及耐火电缆 塑料绝缘阻燃及耐火电缆分级及要求 第 1 部分:阻燃电缆》GA 306.1—2007 修改。

2.0.2 系原条文 2.0.2 修改条文。

“耐火电缆”术语系根据现行行业标准《阻燃及耐火电缆 塑料绝缘阻燃及耐火电缆分级及要求 第 2 部分:耐火电缆》GA 306.2—2007 修改。

3　电缆型式与截面选择

3.1　电力电缆导体材质

3.1.1　系原条文 3.1.2 修改条文。在相同条件下，铜与铜导体比铝和铜导体连接的接触电阻要小约 10 倍～30 倍，另据美国消费品安全委员会（CPCS）统计的火灾事故率，铜导体电线电缆只占铝的 1/55，铜导体电缆比铝导体电缆的连接可靠性和安全性高，我国的工程实践也在一定程度上反映，铝比铜导体的事故率高。

1　重要电源是指向工业与民用建筑中的一级及以上负荷供电的电源，主要包括：①中断供电将造成人身伤亡者；②中断供电将在政治、经济上造成重大损失的，例如，造成重大设备损坏或重大产品报废、用重要原料生产的产品大量报废、国民经济中的重点企业的连续生产过程被打乱且需要较长时间才能恢复等；③中断供电将会影响有重大政治、经济意义的用电单位的正常工作的，例如：重要交通枢纽、重要通信枢纽、重要宾馆、大型体育场馆、经常用于国际活动的大量人员集中的公共场所等用电单位中的重要电力负荷；④中断供电将造成公共场所秩序严重混乱者。对于某些特等建筑，如重要的交通枢纽、重要的通信枢纽、国宾馆、国家级及承担重大国事活动的会堂、国家级大型体育中心，以及经常用于重要国际活动的大量人员集中的公共场所等的一级负荷，为特别重要负荷。中断供电将影响实时处理计算机及计算机网络正常工作或中断供电后将发生爆炸、火灾以及严重中毒的一级负荷亦为特别重要负荷。

3　耐火电缆需具有在经受 750℃～1000℃作用下维持通电的功能，铝的熔融温度为 660℃，而铜可达到 1080℃。

4　取消了“工作电流较大，需增多电缆根数时应选用铜导体”

的规定，在实际应用中难以把握具体电流值和根数。根据铜、铝导体电阻率差异（铜芯为 $0.01724\times10^{-4}\,\Omega\cdot cm^2/cm$，铝芯为 $0.02826\times10^{-4}\,\Omega\cdot cm^2/cm$），相同电流下铜电缆截面比铝电缆小1级～2级，在设计中，根据回路电流大小和连接可靠性要求，结合盘柜允许的电缆头连接空间和施工方便性等确定电缆材质。

5 根据《中华人民共和国消防法》第七十三条释义，人员密集场所是指公众聚集场所，医院的门诊楼、病房楼，学校的教学楼、图书馆、食堂和集体宿舍，养老院，福利院，托儿所，幼儿园，公共图书馆的阅览室，公共展览馆、博物馆的展示厅，劳动密集型企业的生产加工车间和员工集体宿舍，旅游、宗教活动场所等。公众聚集场所是指宾馆、饭店、商场、集贸市场、客运车站候车室、客运码头候船厅、民用机场航站楼、体育场馆、会堂以及公共娱乐场所等。

6 增加核电厂常规岛及与生产相关的附属设施。核电厂对可靠性、安全性要求更加严格，根据本标准《核电站常规岛电缆选择与敷设》专题调研报告，我国已建和在建的主流核电技术路线（包括二代及二代加核电站如CPR1000以及三代核电站AP1000、EPR1700）的常规岛及与生产相关的附属设施的电缆均要求采用铜导体电缆。

3.1.2 系原条文3.1.3修改条文。

产品仅有铜导体是指充油电缆、耐火电缆、矿物绝缘电缆等。根据电缆制造标准，220kV及以上高压电缆推荐采用铜导体。

关于近年来国内部分行业逐步在低压系统采用铝合金电缆，根据本标准编制大纲及审查意见要求，编制组开展了《铝合金电缆应用和选择》专题报告，主要结论如下：

（1）铜电缆和铝合金电缆各有特点：铝合金电缆虽然并未提高纯铝电缆的导电性，但其弯曲、抗压蠕变和耐腐蚀等物理、机械性能有较大的提高。相比较铜电缆，铝合金电缆在重量、价格以及工程安装等方面则具备一定的优势；而铜电缆在载流量、电压降和可靠性方面依然具有较大优势，两者在不同的领域都有着各自的应用空间。

(2)现行国家标准《电缆的导体》GB/T 3956—2008 中对电缆的导体规定可采用铜、铝和铝合金，国家标准《电缆导体用铝合金线》GB/T 30552—2014 对用于额定电压 0.6/1kV 交联聚乙烯绝缘电缆采用铝合金导体的产品型号、规格、材料、电气和机械性能、试验方法、检验规则、包装及标志等做了详细规定。以上两项标准表明铜、铝和铝合金可以用作电缆的导体。

(3)采用铝合金电缆需要使用专用铝合金电缆接头，对电气设备连接端子为铜端子时需解决好铜铝过渡问题，防止接头处产生电化学腐蚀，并增强安装工艺质量的监督和运维工作。

(4)国家对安全生产越来越重视，要求越来越高，对于涉及人身安全的重要回路(如消防、保安电源回路等)，为确保供电的安全可靠，应采用铜导体电缆。

3.1.3 系新增条文。

电缆导体作为电缆的主体材料，导体的结构和性能参数指标对保证电缆的质量至关重要，因此强调电缆导体的结构和性能参数应满足现行国家标准的相关规定。

3.2 电力电缆绝缘水平

3.2.2 系原条文 3.3.2 修改条文。

2 中性点不直接接地系统的电缆导体与金属套之间额定电压级的选择要求，根据供电系统一些曾采用相电压 U_0 级(如 10kV 系统 U_0 为 6kV，标称 6/10kV)电缆，运行中曾屡有发生绝缘击穿故障，造成巨大损失现象，分析是缘于单相接地引起健全相电压升高，且持续时间较长，故需采用比 U_0 高一档的电压级(如 8.7/10kV 等)以增强安全。

有报道某行业系统 10kV 系统使用 6/10kV 级 XLPE 电缆运行 14 年来，累计发生单相接地 80 余次，接地持续时间有达 2h 15min，累计接地持续时间有超过 7h 15min；在 46 次电缆故障中，电缆绝缘击穿占 65%，充分显示了 U_0 级电缆不能可靠运行。

原条文第2款中表达有误，“除上述供电系统外，其他系统不宜低于133%的使用回路工作相电压”更正为“对于单相接地故障可能超过1min的供电系统，不宜低于133%的使用回路工作相电压”。

3.2.4 系原条文3.3.4保留条文。

高压输电用直流电缆，由于不存在电容电流，输送有功功率不受距离限制，且导体直流电阻比交流电阻小，又无金属套电阻损耗和介质、涡流、磁滞损耗，从而具有比交流电缆较大的载流量。通常100kV以上输电超过约30km，尤其是海底敷设时，多倾向用直流电缆，目前世界上直流海底电缆使用较多的有不滴流浸渍(Mass Impregnated Non Draining，简称MIND或MI)纸绝缘或自容式充油电缆两种类型，现已有部分工程采用挤包绝缘直流海底电缆，最高电压等级±320kV直流电缆。

直流电缆的电场分布特性依赖绝缘电阻率(ρ)，且受空间电荷影响，由于ρ是温度的函数，电缆最大场强的部位就随负荷大小改变，故绝缘特性与交流电缆有显著不同。若使用现行交流XLPE电缆，其交联残渣因素，在高温时影响电荷积聚会形成局部高场强，从而导致绝缘击穿强度降低。

自2000年以来，国内外已开始研制适用于直流输电的XLPE电缆。国内外先后研制成功了±80kV、±150kV、±200kV和±250kV直流XLPE电缆，并已投入实际工程应用。已有±320kV直流XLPE电缆供货业绩。

日本±250kV直流XLPE电缆连接北海道—本州(HVDC)联络线已于2012年12月成功投入运行，是迄今世界上第一条最高电压的挤包绝缘电缆用于直流输电线路，已开发成功的一种直流交联聚乙烯(DC-XLPE)绝缘料，用于高压直流输电系统，具有十分良好的直流电压性能，特别是具有十分低的空间电荷累积，这种DC-XLPE电缆也可应用在直流的联络线，不但可以采用电压源换流器(Viltage Source Converter，VSC)技术，又可采用线路整流器(Line Commutated Converter,LCC)技术包括极性逆转,导体温度可达到90℃(参见《电缆技术》,2015,No.4)。

3.3 电力电缆绝缘类型

3.3.1 系原条文3.4.1修改条文。

本条不只是针对现行电缆,也适合将来新型绝缘电缆。如高温(指在低温范畴意义上比以往极低温有大幅提高)超导电缆正进入工业性试运行阶段,我国在世界上也位于前列,其传输大容量时的能耗显著减小,应用前景看好;又如,超高压输电使用压缩气体管道绝缘线(GIL)在一些国家已成功实践,我国正在进行设计建造的世界上首个1000kV特高压GIL输电工程——苏通GIL管廊跨江工程,预计2019年投入运行。另外近年曾有新型绝缘电缆的推出,虽显示出其独特优点,但需以满足本条第1款的试验论证,来规范引导其健康发展。此外,按本条第2款来评估,有的新型绝缘电缆虽具备部分优越特性,但对工程条件并不适用(如易着火,毒性大等),这一规范性制约就具有积极意义。

1 电缆绝缘在一定条件下的常规预期使用寿命,不少于30年～50年,它与电缆应通过的标准性老化试验实质对应。

2 同一使用条件的不同类型绝缘电缆,有的安装与维护管理较麻烦,但经历长期实践其运行可靠性易于把握;有的造价虽较低,但最高允许工作温度不高从而载流量较低,所需电缆截面较大。在未能兼顾情况下,需视使用条件及其侧重性来选择。

3 除矿物绝缘型外的电缆绝缘固体或液体材料都属可燃物质,由含氯、氟等卤化物构成的绝缘电缆,不能用于有低毒无卤化要求的场所。

4 21世纪全球进入生态协调呼声日益高涨。日本从20世纪末开始由政府明令公用事业需使用环保型电缆,日本电线工业协会制订了JCS第419号(1998)控制电缆、JCS第418号A(1999)低压电力电缆等环保型产品标准,主要特征是不用聚氯乙烯(PVC)。此外,基于 SF_6 气体的温室效应相当于 CO_2 的 2.4 万倍,西门子公司推出具有 80% N_2 与 20% SF_6 混合气体的 500kV GIL,于 2001 年在日内瓦的工程成功实践,日本近年也步其后尘开发这种环保型 GIL。我国电力行业标准《气体绝缘金属封闭输电线路技术条件》DL/T 978—2005 中含 N_2/SF_6 混合气体构造,显示了适应环保之考虑。由此可见,电缆的绝缘用材或构造有适应环保化趋向。

环保型电缆具有以下特征:①使用期间对周围生态环境和人体安全不致产生危害;②废弃处理焚烧时不会有二噁英等致癌物质扩散,或掩埋时不会有铅(如用于塑料的稳定剂)之类流失危害;③材料将有再生循环利用可能。

3.3.2 系原条文 3.4.2 修改条文。本条文中的"常用"是指在工业与民用范围已广泛应用。

1 本标准条文中"低压电缆"、"高压电缆"名称,按照我国电压等级的习惯称呼,1kV 及以下为低压,3kV、6kV、10kV、20kV、35kV、66kV 称为中压,110kV、220kV 为高压,330kV、500kV、750kV 为超高压,1000kV 及以上(含直流电压±800kV)称特高压,而现行行业标准《高压电缆选用导则》DL/T 401—2002 的适用范围,将 1kV 以上电压定为高压。在本标准条文中未标明具体电压数值的低压电缆均指 1kV 及以下的电缆,高压电缆指 1kV 以上的电缆。

2 35kV 以上高压电缆的应用,世界上有自容式充油(FF)、钢管充油(PFF)、聚乙烯(PE)、乙丙橡胶(EPR)、XLPE、GIL 等类型,其中 EPR 多在意大利且用于 150kV 及以下,PE 在法、美等曾有少量使用,我国个别水电厂也引进 500kV PE 电缆投运,PFF、GIL 虽在不少国家使用但数量尚不多,广泛使用的是 FF 与 XLPE 电缆,我国也如此,66kV~330kV FF 电缆有达 40 年以上运行实践,包含电压至 220kV 的 XLPE 电缆比 FF 电缆使用晚 20 年左右,近二十年已有大量应用趋势,且两类电缆在我国均能制造。

FF 电缆在国内外已有相当长的成功运行经验，其可靠耐久性较易把握。它比 XLPE 电缆虽多增了油务的管理，但却因此有油压监视和报警，线路一旦受损能从其信号显示及时发现；此外，对运行电缆抽取油样做色谱分析、电气测试，可实现有效的绝缘监察。这些恰是 XLPE 电缆所没有的长处。

XLPE 电缆不存在供油系统附属装置及其油务带来的麻烦，易受欢迎，包括超高压系统的应用已是大势所趋。但它实践历史还不够长，400kV～500kV 级 XLPE 电缆在欧洲、日本的运行实践才不过十几年。此外，较长的电缆线路其投资在目前还比 FF 型较贵，在海底电缆应用中，目前国际、国内联网工程和海上风电工程应用较多的还是 FF 电缆。因此，在推崇 XLPE 型电缆的同时考虑可选用 FF 型电缆的空间。

3 根据本标准修订进行的《高压、超高压电力电缆及附件制造、使用和运行情况》调研报告，我国已经具备了 110kV、220kV 电力电缆的制造能力，并且 110kV、220kV 电力电缆已基本实现了国产化。500kV 电力电缆具有一定的特殊性，使用也较少，目前国内生产厂家成功通过预鉴定试验，具备 500kV 电缆合格资质的厂家大约有 5 家，并有 3 家已有运行业绩。

目前国际上所有电缆制造商所生产的高压、超高压交联聚乙烯海底电缆的电缆料（包括导体屏蔽、绝缘屏蔽和绝缘料）几乎由北欧化工和陶氏化学两家公司垄断，国内 500kV 交流聚乙烯绝缘海底电缆还受工厂软接头限制，目前还没有制造和应用业绩，500kV 级交流、直流海底电缆线路采用自容式充油电缆在国外已有众多成功运行业绩，我国第一条 500kV 超高压、大容量、长距离的跨海区域联网工程——广东—海南联网工程采用挪威耐克森公司制造的 500kV 自容式充油海底电缆已投运，为海底电缆设计和敷设取得了一些经验。

交联聚乙烯绝缘用在 110kV 及以上电压等级时，绝缘料纯度要求更高。另外，随着电压等级越高，绝缘越厚，由于输送容量变化引起电缆导体温度变化，在运行中引起热胀冷缩造成绝缘层内部气隙的产生，这些气隙在电场作用下会引起局部放电，从而导致绝缘击穿，自容式充油电缆同样会产生气隙，但由于这些气隙总是被压力油充满，不易产生游离放电，因此，要使交联聚乙烯绝缘电缆用在更高电压等级的海底电缆上，必须提高制造工艺和质量，目前自容式充油电缆用在500kV海底电缆上具有较多投运业绩，且相对于交联电缆具有安全性和使用寿命方面优势。

近年来，由于海上风电项目的兴起，我国在高压、超高压XLPE绝缘海缆方面取得了长足进步。交流220kV XLPE绝缘海缆已有宁波东方、中天科技、青岛汉缆、上缆藤仓、江苏亨通等通过了型式试验。宁波东方电缆有限公司交流220kV XLPE绝缘海缆供货业绩：①在舟山本岛—秀山—岱山输电线路工程中提供HYJQ41-127/220kV-1×500海缆，长度3×6.9km，按220kV设计，目前为止按110kV运行；②为福建莆田南日岛海上风电项目提供3根总长36.35km 220kV 1600mm^{2}交联聚乙烯绝缘光电复合海底电缆，于2016年5月完成敷设。中天科技交流220kV XLPE绝缘海缆供货业绩：三峡新能源江苏响水近海风电项目220kV高压光电复合海缆，总长约12.9km，于2015年9月完成交付。

从目前的高压电缆发展趋势来看，电缆绝缘交联化是一个趋势，国内海缆厂家正在开发的500kV海缆产品也均为交联绝缘，已计划在浙江舟山500kV联网工程中采用，国际上近年来也有超高压交联海缆的使用业绩，其电压等级为420kV。因此，500kV海底电缆可采用成熟的自容式充油电缆，在技术条件满足的情况下也可选用交联聚乙烯绝缘电缆，至于220kV及以下高压交流海底电缆，可根据工程情况选用交联聚乙烯绝缘或自容式充油电缆。

4 高压直流输电电缆迄今在世界上使用不滴流浸渍纸绝缘(MI)与FF两种类型较多，且近年先后已开发半合成纸(或称聚丙烯薄膜，简称 PPLP）取代以往用的牛皮纸，使 MI 型电缆的最高允许工作温度由原来的 50℃～55℃提升到 80℃，载流能力可显著增大。

现行交流系统用的普通 XLPE 电缆不适合直流输电，因直流电场下交联残渣影响杂电荷的产生，当温度较高时空间电荷积聚易形成局部高场强，这将会导致绝缘击穿强度降低，且其直流击穿强度还具有随温度升高而降低的特性。

另外，国外研究直流输电用新型 XLPE 电缆近期已见成效，如日本采取在 XLPE 料中添加导电性或者有极性的无机填料两种途径，均可使直流击穿电压提高 50％～80％以上，固有绝缘电阻率也显著提高，依此确认 250kV 直流 XLPE 电缆开发成功；随后，又完成 500kV 级模型的实物性能试验验证，包含在 PE 料中加入极性基团实施聚合物材料的改性方式，证实直流击穿与极性反转击穿，能分别提高约 70％和 50％，可认为用 XLPE 构造直流输电电缆的技术已攻克，日本±250kV 直流 XLPE 电缆连接北海道—本州（HVDC）联络线已于 2012 年 12 月成功投入运行。

国内研制的交联聚乙烯高压直流海底电缆在±160kV、±200kV 及±320kV 柔性直流输电工程中得到应用，其中南澳三端柔性直流输电工程采用±160kV 直流海底电缆 2013 年 12 月投入运行，舟山多端柔性直流±200kV 输电工程于 2014 年 6 月投入运行，厦门柔性直流±320kV 输电工程于 2015 年 12 月投入运行。

3.3.6 系原条文 3.4.6 修改条文。

年最低温度是指一年中所测得的最低温度的多年平均值。

3.3.7 系原条文 3.4.7 修改条文。

聚乙烯不具有防火阻燃性、难燃性，本次修改去掉“阻燃性防火”描述。从保证人的健康和有利于消防灭火的角度考虑，在人员密集场所，以及有低毒性要求的场所，强调不应选用含有卤素的绝缘电缆。

3.3.8 系原条文 3.4.9 修改条文。

绝缘层和内、外半导电屏蔽层三层共挤工艺比二层共挤加半导电包带的工艺构造电缆有较优的耐水树特性，得到长期实践证实，有利于提高电缆的运行可靠性和安全性，且目前国内大多数制造厂均已具备此工艺条件，原条文要求对 6kV 重要回路和 6kV 以上才要求采用三层共挤工艺，实际工程中对 6kV 重要回路难以把握，统一取 6kV 所有回路有利于工程采购，另外提高电缆可靠性，对安全有利，故本次修改为 6kV 及以上高压交联聚乙烯绝缘电缆要求采用绝缘层和内、外半导电屏蔽层三层共挤工艺。

3.3.9 系新增条文。

国家核安全局导则《核电厂防火》HAD 102/11 第 6.5.1 节规定："电缆绝缘层和护套应当使用阻燃、低烟雾、低腐蚀性的材料"。另根据本标准修订所做的《核电站常规岛电缆选择与敷设》专题报告，对已建和在建核电厂内采用电缆情况调研，核电厂厂用电缆均采用低烟、无卤的绝缘电缆。

3.3.10 系新增条文。

为实现供电、保护、控制、信号传输等功能，部分核电厂内的核安全级(1E 级)电缆需要跨岛敷设，穿越常规岛或与常规岛内设备连接，这部分电缆需满足核安全级电缆的技术要求。核安全级电缆按其安装位置和不同条件下需要完成的功能分为 K1、K2 和 K3 级电缆。

3.4 电力电缆护层类型

3.4.1 系原条文 3.5.1 修改条文。

1 曾有多个工程交流单芯电力电缆采用经隔磁处理的钢带或钢丝铠装，未达载流量就出现电缆过热甚至烧毁事故，因此判断钢带或钢丝铠装所作非磁性处理的实际效果不好，铠装层产生涡流、磁滞损耗并未抑制到预期程度。故本款强调非磁性处理需确认有效，又考虑到现今技术难以实现，故对需要增强电缆抗外力的外护层，首先示明铠装层应采用非磁性金属材料，主要有铝合金等。如广东某核电厂使用的法国铝合金铠装单芯电力电缆，运行中没有过热现象，反映良好，此外，英国等单芯电力电缆也采用铝合金铠装。

2 聚乙烯是一种非极性材料，具有较强的防潮湿性能，绝缘性能好，无毒，在潮湿和易受水浸泡环境采用聚乙烯作外护层的电缆，在实际工程中得到较广泛应用，反映较好。

3 系原条文第3款修改：

(1)聚乙烯不具有防火阻燃性、难燃性，本次修订去掉“阻燃性防火”描述。

(2)聚氯乙烯护套电缆虽然具有制造工艺简单、价格便宜、化学稳定性好、耐酸减等优点，但当着火燃烧时会释放出毒性烟气，使人中毒窒息，因此，从保证人的健康和有利于消防灭火的角度考虑，在人员密集场所以及有低毒性要求的场所，强调不应选用含有卤素的电缆护层。

4 现行行业标准《核电厂防火》HAD 102/11 第6.5.1节规定：“电缆绝缘层和护套应当使用阻燃、低烟雾、低腐蚀性的材料”。另根据本标准修订所做的《核电站常规岛电缆选择与敷设》专题报告，核电厂厂用电缆均采用低烟、无卤外护层。

5 电缆外护层塑料护套的化学稳定性，可参照《城市电力电缆线路设计技术规定》DL/T 5221—2016 附录D。

6 由于绝缘的电气强度要求不高，中压电缆经常不采用金属套结构，或采用更为简单的护套设计形式。一种方式是在聚合物护套下设置吸水层，聚合物护套能起到防水作用，但少量水分会以微量蒸汽的形式渗透过护套。吸水剂具有足够的吸水量，能够在电缆整个寿命期间保持绝缘足够干燥[参见国际电气工程先进技术译丛《海底电力电缆——设计、安装、修复和环境影响》(德) Thomas Worzyk 著，应启良　徐晓峰　孙建生　译]。本款强调重要的3kV～35kV 电缆和35kV以上高压电缆应具有金属塑料复合阻水层、金属套等径向防水构造。

由于敷设于海底的电缆一般距离都比较长，达到数千米至数十千米及以上，深度为几十米至数百米，海洋环境如海浪、潮汐、海流、海底地形复杂等因素，给海底电力电缆施工、运行带来严峻考验，一旦电缆故障进水，造成修复工作困难，修复的成本更高，因此，海底电缆需要有纵向和径向防水措施。铅作为金属护套，内部结构紧密，化学稳定性及耐腐蚀性好，径向防水性能好，根据国内外海底电缆经验，铝护套耐腐蚀性差，不适合用于海底电缆，通常采用铅护套和铜护套作为电缆径向防水措施。

7 按照电缆制造标准规定，外护套材料分热塑性材料和弹性体材料两种，热塑性材料又有聚氯乙烯(PVC)和聚乙烯两种，聚氯乙烯材料代码 ST_1 和 ST_2 分别适用于电缆导体工作温度 80℃、90℃，聚乙烯材料代码 ST_3 和 ST_7 分别适用于电缆导体工作温度 80℃、90℃，弹性体材料含氯丁橡胶、氯磺化聚乙烯或类似聚合物，其材料代码 SE_1 适用于电缆导体工作温度 85℃。为避免电缆外护套设计选型不当，有必要特别提出外护套材料选用应与电缆最高允许工作温度相匹配。

3.4.3 系原条文 3.5.3 修改条文。

3 我国南方一些地区，电缆遭受不同程度白蚁危害的现象较普遍，有的蛀蚀电缆外护层乃至金属套，造成 110kV、220kV 电缆故障，不容忽视。由于化学防治方法有副作用，将危害生态环境协调，因而合理的对策是采取物理防治法。

国内外工程实践的做法有：日本强调用硬度较高的光滑尼龙外护层，防蚁性优越，但成本高，且耐酸蚀性较差。以往英国 BICC 电缆公司在东南亚的白蚁活动地区，采用邵氏硬度不小于 65 的聚乙烯外护层(见 G. F. Moore，*Electric Cables Handbook*，1997)，近年梅戈诺(Megolon)公司推出一种 Termigon(译称退灭虫)特种聚烯烃共聚物防蚁护套料，不仅硬度比以往毫不逊色，且光洁有弹性又耐磨，防蚁性与抗酸蚀性均优，成本比尼龙低。国内有关单位与之合作，用于通信电缆，经测定符合《电线电缆　白蚁试验方法》GB/T 2951.38—1986，在电讯行业逐渐使用，2002 年又用于肇庆

110kV 电缆工程实践(见《广东电缆技术》,2003,No.3)。

物理防治晚于化学防治方法,经验还不足,认识有待深化。虽然个别地区的金属套或钢铠曾遭白蚁蛀蚀,但暂还不宜完全否定其功效,仍作为一种防白蚁手段保留。

地下水位较高的地区,采用聚乙烯(PE)外护层,是就材料透水率而论,一般性 PE 为 28×10^{-8}[g·cm/(cm^3·dmm H_2O)],而 PVC 为 160×10^{-8}[g·cm/(cm^3·dmm H_2O)],PE 的阻水性较好。

6 系新增条款。交联聚乙烯绝缘最大缺点就是透入水蒸气后,在电场作用下容易产生水树枝,直埋敷设虽是一种比较简单、经济的敷设方式,但由于敷设于地下土壤中,长期受潮气和水浸泡发生水树老化,3kV～35kV 中压电缆一般为 3 芯电缆型式,电场强度不高,电缆可不设防水结构,挤包塑料护套提供的阻水屏障可以满足要求,但 35kV 以上高压电缆要有可靠的防水结构。

3.4.8 系原条文 3.5.8 修改条文。

3 系新增条款。海底电缆宜采用耐腐蚀性好的镀锌钢丝、不锈钢丝、铜铠,不宜采用铝铠。工程实践证明,铝铠不适合在海水中敷设而适合在淡水中敷设,如 1970 年美国长岛的海缆遭受了严重的海水腐蚀,铠装就采用了成分为铝-镁-硅的“Aldrey”合金,1966 年上海电力局购置的意大利比瑞利公司米兰电缆厂一回路 4 根(备用一相)220kV 单芯 $350mm^2$ 海底充油电缆,敷设于黄铺江口,铠装结构为直径 5mm、48 根抗压力防砸小节距硬铝合金丝,正常运行了 25 年未反映有问题。

顺便指出,交流单芯海底电缆采用镀锌钢丝等磁性材料铠装层会产生较大涡流损耗,影响载流量,在工程设计计算中予以重视。

3.4.10 系新增条文。

条文说明同本标准第 3.3.10 条说明。

3.4.11 系新增条文。

按现行行业标准《核电厂电缆系统设计及安装准则》EJ/T 649,

核电厂 1kV 以上电力电缆采用屏蔽和屏蔽接地有专门的要求，需按其有关规定执行。

3.5 电力电缆芯数

3.5.1 系原条文 3.2.1 修改条文。

3 系新增条款。根据国内工程实践，全厂、站内电气接地设计一般都具有分布在全厂、站内同时满足保护接地、工作接地、防雷防静电接地要求的完善的公用接地网，电源系统中性点及全厂、站电气设备外露可导电部位与该公用接地网可靠连接。对固定安装且不需要中性导体的电动机等电气设备，单独连接的保护导体经选择计算满足安全防护——电击防护要求和电动机单相接地短路故障保护灵敏度要求时，可以选用 3 芯电缆代替 4 芯电缆，以节省电缆内的保护导体。如为满足电动机单相接地短路保护灵敏度要求使保护导体截面增加较多，使工程不经济时或不具备公用接地网情况，仍然需要选用 4 芯电缆。

4 系新增条款。1kV 及以下回路导体截面大于 $240mm^2$ 时，由于是多芯且截面大，电缆外径大，施工敷设困难，可以根据工程情况采用单芯电缆，但应注意回路中性导体和保护导体的截面应符合本标准相关条文要求。

需注意的是：并联多根单芯电缆敷设中需要使相序对称排列，以减少同相不同电缆间环流，国内就曾发生过同相不同电缆间由于相序不对称排列导致环流引起电缆过热的事故。

3.5.2 系原条文 3.2.2 修改条文。

3 系新增条款。根据国内工程实践，全厂、站内电气接地设计一般都具有分布在全厂、站内同时满足保护接地、工作接地、防雷防静电接地要求的完善的公用接地网，电源系统中性点及全厂、站电气设备外露可导电部位与该公用接地网可靠连接，对固定安装的电气设备，单独连接的保护导体经选择计算满足安全防护——电击防护要求时，宜选用 2 芯电缆。

3.5.3 系原条文3.2.3修改条文。

3kV～35kV高压三相供电电缆，我国长期以来惯用普通统包3芯型，单芯型使用不多，近年开始有采用绞合3芯型（工厂化以3根单芯电缆绞合构造成1根，也称扭绞型）。

1 3根单芯比1根普通3芯电缆投资较大，但优点是：①电缆与柜、盘内终端连接时，由于可减免交叉，使电气安全间距较宽裕，改善了安装作业；②在长线路工程可减免电缆接头，增强运行可靠性；③其截流量较高，约增大10%左右，可使截面选择降低1档；④一旦电缆发生接地，难以发展至相间短路；⑤允许弯曲半径较小，利于大截面电缆的敷设。

2 绞合3芯型电缆在日本、法国早已应用，其构造特征，日本把3根单芯电缆沿纵向全长采用钢带按恰当螺距以螺旋式环绕，法国按适当间距以间隔式捆扎形成1根整体，不存在统包3芯电缆的各缆芯之间需有填充料。

绞合3芯型电缆除具有单芯电缆的上述优点外，还具有普通统包3芯电缆的敷设较简单的特点，且造价也相近。这对于XLPE电缆如今趋向采用预制式附件以及环网柜等使用情况，尤显其优越性。

3.5.4 系原条文3.2.4修改条文。

世界上66kV～132kV级截面不超过500mm²的电缆，日本、欧洲等除单芯型外，还早已生产应用3芯型。如日本名古屋航空港供电的77kV海底电缆，美国西海岸圣胡安岛供电电缆敷设于水深100m海峡，先后建成115kV充油（1982年）、69kV XLPE 500mm²（2004年），电缆线路均为3芯型（见《广东电缆技术》2005，No.3；2005，No.4）。欧洲正开发132kV 800mm² 3芯XLPE电缆（总外径184mm），用于长距离跨海工程（见ETEP，2003，Vol.13），日本近又开发出154kV 1000mm² 3芯XLPE电缆，用于埋管敷设，降低工程造价（见IEEJ Trans. PE，2006，Vol.126，No.4）。近年，我国中部某大湖的110kV XLPE小截面水下电缆工程就采用了引进欧洲制造的 3 芯型，由于在海、湖中水下电缆敷设的难度大、占工程造价的份额高，这就可显著缩短工期降低投资。

鉴于实际工程已经采用了 3 芯 220kV 小截面海底电缆，故原条文“110kV 以上三相供电回路，每回应选用 3 根单芯电缆”修改为“110kV 以上三相供电回路宜选用单芯电缆”，用词“应”修改为“宜”，以适应实际工程需要。

3.5.5 系新增条文。

根据现行行业标准《电力建设安全工作规程 第 1 部分：火力发电》DL 5009.1—2014 的要求，移动式电气设备的移动电缆应含有单独保护导体。

3.5.6 系原条文 3.2.6 修改条文。

补充蓄电池组采用电缆引出线时电缆芯数选择要求，与现行行业标准《电力工程直流电源系统设计技术规程》DL/T 5044 协调一致。

3.6 电力电缆导体截面

3.6.1 系原条文 3.7.1 修改条文。

1 电缆导体的持续最高允许工作温度（θ_m），对应绝缘耐热使用寿命约为 40 年，明确最大工作电流（I_R）需满足不得超过 θ_m，是实现电缆预期使用寿命的要素。直接取 θ_m 求算 I_R 时，需把所有涉及发热的因素计全才符合上述原则，否则，客观存在的发热因素未完全计入，I_R 计算值就会偏大，运行中导体实际温度将超出 θ_m。

I_R 的算法标准 IEC 287(1982)或 IEC 60287－1－1(1995)不再像 1968 年初版时示出各类电缆的 θ_m 值，而提示 θ_m 值确定需留有安全裕度。不妨就高压单芯电缆 I_R 求算时 θ_m 值的择取作一辨析：1993 年 IEC 287－1－2 首次公布双回并列电缆的涡流损耗率 λ''_{1d} 算式，此前只有单回电缆涡流损耗率 λ''_1 的算式，而 $\lambda''_{1d} > \lambda''_1$，可认为双回并列电缆在依照 λ''_{1d} 与 θ_m 计算的 I_R，与仅依 λ''_1（即未计

入并行回路引起涡流损耗增大的影响）求算 I_R 时，要使两者相同或相近，就需对后者采取低于 θ_m 的 θ'_m 值。这也昭示了 IEC 287 并非是所有的算式一次性制订完备，因而它不硬性规定单一 θ_m 值，以不失科学严谨性。藉此还需指出，IEC 60287－1－2(1993) 只适合两回单芯电缆并列配置，它主要反映直埋或穿管埋地敷设电缆方式，但我国多以隧道、沟或排管敷设电缆方式，并行两回电缆为层叠配置情况，其 λ''_{1d} 算式在该标准中却未给出，也没有说明可略而不计。然而，在日本电线工业协会标准 JCS 第 168 号 E (1995)《电力电缆的容许电流（之一）》中，却示明包含 2 层及其以上层迭配置单芯电缆的 λ''_{1d} 算式，经按一般电缆使用条件计算分析，其 λ''_{1d} 与 λ''_1 值差异明显而不能忽视（可参见《广东电缆技术》，2001，No. 3）。因此，在并非所有发热因素计全时，求算 I_R 若仍依固定的 θ_m 值计，就满足不了本款要求。

美国爱迪生照明公司联合会（AEIC）制订的 AEIC CS7 (1993)《额定电压 69kV 至 138kV XLPE 屏蔽电力电缆技术要求》标准中载明：当 I_R 计算涉及电缆存在的全部热性数据充分已知，确保 θ_m 不致超过时，可取 θ_m 为 90℃，否则应采取比该温度降低 10℃或其他适当值。这对于辨析地择取 θ_m 值的理解，可供启迪。

4 电力电缆截面最佳经济性算法 IEC 1959 标准于 1991 年首次公示，后又纳入电缆额定电流计算标准系列 IEC 60287－3－2 (1995；1996 修订)。其算法是基于电缆线路初始投资与今后运行期间的能量损耗综合最小。

多年来我国经济持续高速增长下，发供电随着用电需求虽在不断迅猛发展，但一些地区仍感电力不足。分析认为，以往一般只按载流量紧凑地选择电缆截面，导致线损较大，这一影响不可忽视；又如今地球“温室效应”日益严重，尤其是火力发电的 CO_2 排放影响，占有相当大比例，在这一形势下，需着眼于努力降低损耗、减少电源增长（火力发电厂一直占有较大份额）带来温室效应的加剧，就需要考虑电缆的经济截面。至于经济截面比按载流量选择截面增大后，降低年损耗的同时会引起初投资的增加，从我国宏观经济条件来看，现已能适应。

3.6.2 系原条文 3.7.2 修改条文。

IEC 等标准关于电缆的持续允许工作电流算法分两类：①负荷为 100%持续（100% Load factor），即常年持续具有日负荷率（L_f）为 1 时的 I_{R1}，如发电厂中持续满发机组及其辅机，或工矿主要用电器具等供电回路的负荷电流；②负荷虽持续但并非 100%恒定最大，而是周期性变化，即常年持续具有 $L_f<1$ 时的 I_{R2}，如城网供电电缆线路等公用负荷电流。

IEC 60287（以往称 IEC 287）为 I_{R1} 算法标准，IEC 60853（原 IEC 853）为 $I_{R2}=M.I_{R1}$ 的 M 算法标准，日本电线工业协会 JCS 第 168 号 E(1994)、美国电子电气工程师学会 IEEE Std 835(1995)标准均同时含 I_{R1}、I_{R2}。在空气中敷设的电缆，$I_{R1}=I_{R2}$，直埋或穿管埋地（包括排管）敷设的电缆，$I_{R1}<I_{R2}$；当 L_f 约为 0.7 左右时，一般 I_{R2} 比 I_{R1} 增大约 20%以上。我国长期以来工程实践只计 I_{R1} 且一般遵循 IEC 60287，至于 IEC 853－1、IEC 853－2 虽早已于 1985 年、1989 年公示，但国内迄今几乎未在工程运用，或缘于该算法需按日负荷曲线分时计算感到烦琐，而日、美标准只需计入 L_f 求算 I_{R2}，适合工程设计阶段（参见《广东电缆技术》，2001，No.4：2～12）。然而在我国由于尚未广为知晓而缺乏应用，故此次修订标准就没有直接示出 I_{R2}，只在持续工作电流之首添加 100%，这虽是沿袭原标准基本内容，但冠以 100%的持续工作电流不仅示明归属 I_{R1}，也意味着对于 I_{R2} 和短时应急过载 I_E（参见《广东电缆技术》，2002，No.4）以及提高载流量的途径（参见《广东电缆技术》，2003，No.4），都留有另行考虑的空间，显然不应被误解为 I_{R2}、I_E 均排斥或拒绝。从这一意义不妨强调，本标准现仅示出电缆载流能力中属于 I_{R1} 的基本要求。

顺便指出，现行国家标准《低压电气装置　第 5－52 部分　电气设备的选择和安装　布线系统》GB/T 16895.6—2014 等同采用 IEC 60364－5－52:2009，电缆载流量值仍然是基于 IEC 60287 计算的，电缆载流量按照其表 A.52.3 给出的敷设方式从附录 B 的载流量表格中选取，其表 A.52.3 给出 73 种敷设方式描述，归并为 A1、A2、B1、B2、C、D、D2、E、F、G 等 10 大类敷设方式，其表 B.52.1 为按敷设方式查找载流量的索引，其表 B.52.2～表 B.52.13 为不同敷设方式下的电缆载流量指导数据，其表 B.52.14～表 B.52.21 给出的不同环境温度、直埋敷设不同土壤热阻系数、多根并列敷设时的载流量校正系数，分类很细，选用起来相对比较复杂些。需要强调的是，如按照现行国家标准《低压电气装置　第 5－52 部分　电气设备的选择和安装　布线系统》GB/T 16895.6 查取电缆载流量，需要配套使用该标准对应的敷设方式下电缆载流量其及校正系数。

3.6.3　系原条文 3.7.3 修改条文。

1　含变流、电子电压调整等装置的负荷有高次谐波，诸如变频空调、电气化铁道等。在香港的低压配电电缆、东北某电铁牵引变电站的 220kV 供电电缆工程实践，都已显示了计入高次谐波的影响。

2　电缆保护管并不局限塑料材质，如复合式玻纤增强塑料、陶瓷等管材，均有应用。

7　本标准 10kV 及以下电缆载流量可按本标准附录 C 和附录 D 查阅和修正，35kV 及以上电缆载流量，工程中一般可参照电缆制造商提供的载流量资料并结合使用环境条件进行修正，也可采用现行行业标准《电缆载流量计算》JB/T 10181 进行计算验证。

3.6.7　系原条文 3.7.7 修改条文。

根据现行行业标准《火力发电厂厂用电设计技术规程》DL/T 5153—2014 和工程实践，限流熔断器和 60A 以下的普通熔断器在大短路电流下的限流性能显著，或当熔断体的额定电流不大于电缆额定载流量的 2.5 倍，且供电回路末端的最小短路电流大于熔断体额定电流的 5 倍时，低压熔断器保护的回路按发热和电压降选择的电缆截面一般均满足短路最小热稳定截面要求，故可不进行最小热稳定截面校验。

由于中压真空接触器和熔断器产品技术日趋成熟，熔断器(F)和真空接触器(C)组合供电方式(简称 F-C)具有占地少、价格低、适用频繁操作的特点，近十多年来，在国内较多的火力发电工程中得到了广泛应用，但 F-C 回路电缆短路最小热稳定截面计算相对复杂，国内又缺乏相关规范，根据发电行业设计经验，结合配置完善的综合保护装置分析总结如下，供设计参考：

(1)一般 1000kW 及以下电动机回路和 1250kVA 及以下变压器回路采用 F-C 组合供电方式，按照综合保护配置原理和熔断器时间电流特性曲线，当短路电流小于 3.3kA(4kA/1.1～1.2)时，由保护装置启动真空接触器开断短路电流，动作时间约 0.15s～0.5s，当大于 3.3kA 时，综合保护装置闭锁接触器，由熔断器开断短路电流。熔断器由于具有短路电流越大熔断时间越短的特点，3.3kA 及以上短路电流一般熔断器熔断时间约为 0.2s 以内(对应 224A 熔断体)，对电缆承受的短路发热越有利，按理论计算，铜芯电缆 $35mm^2$ 可满足要求，且有一定裕度。

(2)为简化繁杂的计算，考虑熔断器熔断具有的分散性特点，工程应用考虑一定安全裕度是合理的，因此对 3kV 及以上中压电动机和低压变压器回路采用 F-C 组合供电方式时，铜芯和铝芯电缆最小热稳定截面分别按 $50mm^2$ 和 $70mm^2$ 校验是安全的。

3.6.8 系原条文 3.7.8 修改条文。

2 增加了对单电源回路最大短路电流的短路点的选取原则，参照《电力工程电气设计手册 1 电气一次部分》(中国电力出版社，1989)，另根据原电力部组织各电力设计院编写的《赴美国依柏斯公司实习报告》(1982.3)：“由于电缆故障最容易发生在现场施工的电缆接头处，但是在电缆首端发生故障时故障电流并不通过电缆本身，因此对于较长的电缆应尽量避免中间接头，计算短路电流时应按故障发生在电缆终端或第一个中间接头处”。国内某城市2010年对10kV配网电力电缆故障率调查报告中指出，电缆中间接头故障率为45.3%，终端头故障率为6.6%，外力破坏故障率为12.4%，电缆本体故障率为4.4%，单相接地故障率为31.4%，电缆接头和电缆终端故障故障率合计51%以上，而电缆本体故障率仅为4.4%。因此，若短路点选择在电缆首端，短路电流并不通过电缆本身，对选择电缆截面过于保守，不经济。

3 随着电力系统的不断发展和网络结构变化，最大短路电流不一定是发生三相短路情况，有的可能是发生单相接地短路情况，因此，最大短路电流宜按三相短路或单相接地短路计算的最大值取值。

5 增加低压变压器馈线，按照变压器保护配置情况，其过流Ⅱ段后备保护对应电流为低压侧短路时的电流，虽有延时但对应短路电流很小，故对低压变压器回路电缆，仍可按主保护时间选择校验。

3.6.9 系原条文3.7.9修改条文。

2 对存在高次谐波电流回路，中性导体的电流应计入谐波电流的效应。电缆导体载流量的降低系数系取自于国家现行标准《低压配电设计规范民用》GB 50054和《民用建筑电气设计规范》JGJ 16的有关规定。

3.6.10 系原条文3.7.10修改条文。

2 与现行国家标准《低压配电设计规范》GB 50054—2011第3.2.14条第5款第3项“当铜保护导体与铜相导体在一根多芯电缆中时，电缆所有铜导体截面积的总和不应小于$10mm^2$”的规定一致。如在三相四线制系统中，当选择中性导体与保护导体合一的4芯铜芯电缆时，其最小规格可以选择$4\times2.5mm^2$或$3\times4mm^2+1\times2.5mm^2$。

4 系新增条款。与现行国家标准《低压配电设计规范》GB 50054—2011第3.2.14条第3款的规定一致。

3.6.11 系原条文3.7.11修改条文。

大电流负荷的供电回路往往由多根单芯大截面电缆并联组成，运行时屡因电流分配不均而出现电缆过热乃至影响继续供电。

交流供电回路多根电缆并联时的电流分配主要依赖于导体阻抗，同时还受金属套（有环流时）阻抗的影响。并联各电缆的长度以及导体、金属套截面均等，是使电流能均匀分配的必要条件，在采用单芯电缆情况下，各电缆在空间上几何配置的相互关系常难使各阻抗值均等；各电缆的相序排列关系也影响电流分配。故要以计算方式确定各电流分配的电流值，较为复杂烦琐。IEC 60287－3－1(2002)《多根单芯电缆并联电流分配及其金属层（套）环流损耗的计算》标准是按照并联电缆的各导体阻抗、金属套阻抗均等前提下，建立联立方程而导出，其算法具有公认可行性。需要指出的是，该算法从工程实用意义上已并不简单，可推论若不具备并联电缆各导体阻抗、金属套阻抗均等的条件，计算各电缆之电流分配必将更烦琐复杂。本次增加敷设方式一致，也是为了使同相导体阻抗尽可能一致，使导体电流分配均匀。

3.6.12 系原条文 3.7.12 修改条文。

(1)条文中可能的短路电流包括中性点不直接接地系统中不同地点的两相接地短路。

(2)关于电缆外护层的短路最高允许温度几点说明：

1)本标准 1994 版编制时采纳了瑞典 ASEA 公司的规定，而日本 JCS 第 168 号 D(1982)标准则是按照外护层短路最高允许温度限值确定，依当时经济发展条件，认为按日本标准计算会使得屏蔽层截面选择过大，增加工程投资，为此，按照瑞典公司规定取绝缘和护层的短路最高允许温度平均值计算，再考虑到高压电力电缆线路一般设置有回流线，可减少金属屏蔽层截面的因素，认为可以接受。

2)我国现行 110kV 及以上交联电力电缆制造标准中对电缆外护套温度限值未作明确要求，护套选择取决于电缆设计和运行的机械及热性能限定要求。

3)首先，金属屏蔽层截面若选择不当容易发生电缆烧坏事故，甚至引起火灾而带来较大经济损失，与当前我国经济发展强调安全生产的形势不适。其次，高压电力电缆多为重要输电电缆线路，随着电力系统网络发展规模越来越大，短路水平越来越高，保证电缆的安全可靠性尤为重要。工程实践中，校核电缆金属屏蔽层或护套的短路耐受值时采用的终止温度有取220℃的，也有取200℃的，高于非金属护套短路最高允许耐受温度（如聚氯乙烯ST_1、ST_2护套和绝缘型PVC/A、绝缘型PVC/B料的抗开裂温度150℃，只有绝缘型PVC/B护套的热稳定温度才达到200℃）。

依我国目前的经济发展与20世纪90年代相比，已发生了很大变化，且110kV及以上高压电缆线路使用的越来越多，上述1)的条件已不适应现在的情况，况且，也不能保证所有高压电缆回路均设有回流线情况来降低对护套温升的影响，而参照日本JCS第168号D(1982)标准即按照外护层短路最高允许温度限值确定比较合理和可行；我国目前对110kV及以上电缆非金属护层温度限值未予以明确规定，设计无选择依据；实际工程曾发生过金属层烧断事故。因此，校验金属屏蔽层的热稳定截面宜按照与其紧密接触的非金属护套短路最高允许耐受温度作为控制条件是合理的。

非金属外护套大多处于空气或土壤中，其散热条件比导体内的绝缘材料好，一般可以按照聚氯乙烯护套不超过150℃、聚乙烯护套不超过140℃作为控制条件计算金属屏蔽截面。另外，考虑到电缆的金属套、金属箔、编织层、铠装层及接地同心导体等也可作为接地金属屏蔽，这样计算的金属屏蔽层截面是偏安全的。

3.6.13 系新增条文。

海底电缆通常要求具有纵向阻水性能。交联聚乙烯绝缘电缆最大缺点是容易产生水树，在高压电场作用下产生局部放电进而使绝缘老化甚至损坏，为减少电缆进水概率，水下敷设1kV以上的高压交联聚乙烯绝缘电缆应具有纵向阻水构造。充油电缆和黏性浸渍纸绝缘海底电缆具有纵向阻水性能，不需要采取附加阻水措施。

3.7 控制电缆及其金属屏蔽

3.7.1 系原条文3.1.1保留条文。

控制和信号电缆导体截面一般较小，使用铝芯在安装时的弯折常有损伤，与铜导体和端子的连接往往出现接触电阻过大，且铝材具有蠕动属性，连接的可靠性较差，故明确要求控制和信号电缆采用铜导体。

3.7.2 系原条文3.3.5修改条文。

实际工程已很少采用沿110kV及以上高压电缆线路并行敷设的控制电缆（导引电缆）作为纵联差动保护、监测信号等传输手段，故取消导引电缆相关条文。

3.7.3 系新增条文。

控制电缆一般属于1kV以下低电压等级，电气绝缘强度要求低，易于满足，但其绝缘类型和护层类型同样需要根据电缆敷设环境条件和环境保护的要求进行选择，如适应环境温度条件、防水性能、移动场所、防放射线、防白蚁、低烟、无卤要求等，这些要求除了电压等级、电缆结构等特殊条件不适合控制电缆外，其他基本同电力电缆。

3.7.4 系原条文3.6.2～3.6.4修改条文。

根据工程实践和相关电力行业标准，按照不同芯线截面对控制电缆芯数的范围和预留备用芯数作出基本规定。

第5款和第6款系根据国家能源局《防止电力生产事故的二十五项重点要求》（国能安全〔2014〕161号）第18.7.2条和18.7.4条要求增加的。

3.7.5 系原条文3.6.10修改条文。

新增加了继电保护装置、控制装置和测量装置用控制电缆截面的选择要求。

3.7.6 系原条文 3.6.5 和 3.6.6 修改条文。

根据现行国家标准《继电保护和安全自动装置技术规程》GB/T 14285 的规定，增加了控制和保护设备的直流电源电缆应采用屏蔽电缆。

3.7.7 系原条文 3.6.7 修改条文。

1 现在控制保护装置都基本采用微机型保护，且普遍采用屏蔽控制电缆，打包采购价格与普通控制电缆基本相当，故本次修订包含 110kV 电压等级配电装置。

3.7.8 系原条文 3.6.8 和 3.6.9 修改条文。

根据国家能源局《防止电力生产事故的二十五项重点要求》(2014)第 18.7.7 条“严禁使用电缆内的空线替代屏蔽层接地”的要求增加了第 5 款，取消了原标准第 3.6.8 条可增加备用芯一点接地的方式。因采用电缆备用芯接地方式，虽能对高频干扰起到一定的抑制效果，但对低频干扰的抑制效果作用不大。

4 电缆附件及附属设备的选择与配置

4.1 一般规定

4.1.1 系原条文 4.1.1 修改条文。

3 根据国家能源局《防止电力生产事故的二十五项重点要求》(2014)第 17.1.4 条要求，66kV 及以上电压等级电缆的 GIS 终端和油浸终端宜选择插拔式。

4.1.2 系原条文 4.1.2 修改条文。

电缆终端的构造类型，随电压等级、电缆绝缘类别、终端装置型式等有所差异。在同一电压级的特定绝缘电缆及其终端装置情况下，终端构造方式可能有多种类型。

66kV 以上自容式充油电缆终端构造已基本定型且种类有限，然而 XLPE 电缆的终端构造类型较多，按照加工工艺和材料可以分为：

(1)热收缩附件：所用材料一般为聚乙烯及乙丙橡胶，采用应力管处理应力集中问题，轻便、安装容易，价格便宜，目前主要适用于中低压电压等级。

(2)预制式附件：可分为整体预制式和组装预制式。

预制式终端的主要材料一般为硅橡胶或乙丙橡胶，采用应力锥处理应力集中问题。材料性能优良，安装便捷，价格较贵，主要用于中低压及高压系统。

整体预制式采用无模缝制造工艺，具有良好的耐气候、抗漏痕、抗电蚀能力和憎水性能，防污闪能力强，整个终端为全干式，安装位置、方向灵活，可倾斜安装。

组装预制式按照外绝缘型式分为瓷套式终端和复合绝缘终端，按照套管内是否有绝缘填充物又可分为湿式终端和干式终端，湿式终端内外绝缘之间填充绝缘油或绝缘气体，干式终端内外绝缘紧密贴合。

组装预制式还可按照电缆终端与设备连接类型分户外敞开式终端、SF_6电缆终端（GIS终端）和油浸电缆终端（变压器终端），干式终端按安装连接方式分为常规式、插入式和插拔式。

（3）冷缩式附件：一般采用硅橡胶材料，与预制式附件相比，除了材料性能优良、不动火、弹性好，安装更方便快捷，但价格较贵，一般适用于中低压电缆。

通过对国内外主要的高压、超高压电力电缆附件生产厂家进行的调研了解到，国外电缆厂家如：法国耐克森、日本VISCAS、日本JPS、法国Silec、ABB、意大利普瑞斯曼、德国南方公司由于起步较早，在110kV～500kV电缆附件制造方面已经具备了比较成熟的经验。国内已经具备了110kV、220kV电力电缆附件的制造能力，并且110kV、220kV电力电缆附件已基本实现了国产化，500kV电力电缆附件国产化率较低。户外式终端、GIS终端、变压器终端及中间接头的构造类型制造情况见表1、表2。

表1　电缆终端型式

电压等级 型式	110kV	220kV	500kV
户外终端	湿式瓷式绝缘 湿式复合绝缘 干式	湿式瓷式绝缘 湿式复合绝缘 干式	湿式瓷式绝缘 湿式复合绝缘 干式
GIS终端	湿式、干式常规式	湿式、干式常规式	湿式、干式常规式
	湿式、干式插拔式	湿式、干式插拔式	湿式、干式插拔式
变压器终端	湿式、干式常规式	湿式、干式常规式	湿式、干式常规式
	湿式、干式插拔式	湿式、干式插拔式	湿式、干式插拔式

表 2 电缆中间接头

电压等级	110kV	220kV	500kV
中间接头	组装式	组装式	组装式
	整体预制式	整体预制式	整体预制式

4 增加“人员密集场所”宜优先选用复合绝缘终端，是基于安全考虑，瓷套管具有脆性，若事故爆炸产生碎片可能危及人身设备安全。

4.1.5 系原条文 4.1.5 修改条文。

3 在 275kV 及以下单芯 XLPE 电缆线路，直接对电缆实施金属套开断并作绝缘处理，以减免绝缘接头的设置，为最近欧洲、日本开创的新方法。欧洲是在需要实施交叉互联的局部段，剥切其外护层、金属套和外半导电层，且对露出的该段绝缘层实施表面平滑打磨后，再进行绝缘增强和密封防水处理，形成等效于绝缘接头的功能；日本的方法不同之处只是不切剥外半导电层，从而不存在绝缘层表面的再处理(可参见《广东电缆技术》，2002，No. 4)。

我国在 220kV XLPE 电缆线路工程已如此实践。这种做法常被称为假绝缘接头。

4 带分支主干电缆(main cable with branches)(有称预分支电缆)是一种在主干电缆多个特定部位实施工厂化预制分支的特殊型式电缆，它的分支接头已被纳入该电缆整体，无须另选用 Y 形接头。

4.1.6 系原条文 4.1.6 修改条文。

1 海底电缆接头包括工厂制作的软接头和现场抢修用的抢修接头。工厂接头是在电缆制造过程中在电缆上制作的接头，海底电缆一般应采用连续生产制作的整根电缆，仅在工艺不能满足电缆制造长度要求时才允许有工厂接头。现场抢险用的接头是与工厂接头一样的软接头，其接头的电气和机械性能尽可能与电缆一致。

2 电力电缆，尤其是高压 XLPE 电缆的接头构造类型较多。接头的装置类型中直通接头与绝缘接头的基本构成相同，此类接头的使用广泛，就高压范围看，充油电缆接头构造几乎已定型，而

XLPE 电缆随着应用不断扩展和技术进步，其接头选用问题则愈益受到关注。

世界上 66kV 以上 XLPE 电缆直通接头的构造类型、特点及其主要应用概况，列示于表 3。从不完全的调查所知，除了序号 3、5、6 等项外，列示的其他类型接头在我国 66kV～220kV 系统均有不同程度的应用，近年来，采用预制式接头已是较普遍趋向。

虽然 66kV～110kV 电缆线路原有的 TJ 多在正常运行，且还将继续，但对于 TJ 的应用问题，要看到以往采用它是由于接头的构造类型有限，其选择条件不像如今的多样化；TJ 的可靠性受人为因素影响较大，是其本质弱点；既然可靠性相对较高的构造类型已不乏供选择，国产 PMJ 等也已问世，而 TJ 的应用电压不可能进入 220kV 级，其发展空间有限，再开发国产绕包机等缺乏实际意义，因此，对于工程设计限制选用 TJ，有其积极意义。

表 3　66kV 及以上 XLPE 电缆接头构造类型和主要应用概况

序号	接头构造类型的中英文名称（英文简称）	构成特征与使用性特点	国内外主要应用电压、时间及其反映
1	包带型接头（TJ）Taped Joint	安装过程绝缘易受潮或污染，带与带间空隙难限制在 150μm 以下，工艺要求高。可靠性缺乏保障	日本用于 154kV 以下，我国 110kV 早期曾有相当数量运用，大多正常但发生过几起故障。多认为可靠性难负期望，而几乎不再选用
2	包带模塑型接头（TMJ）Taping Molded Joint	比 TJ 绝缘性较好，但安装环境的洁净与防潮要求仍较高	我国某工程 110kV TMJ 竣工试验曾发生 5 个击穿，缘于安装工艺欠当
3	橡胶带绕包模塑型接头（RMJ）Rubber Mold Joint	与 TMJ 用 0.5mm 厚可交联的聚乙烯带不同，是用 0.25mm 橡胶带。比 TMJ 的加热温度低，时间较短，造价降 20%	日本于 20 世纪 90 年代末开发，已在 66kV 实践

续表 3

序号	接头构造类型的中英文名称（英文简称）	构成特征与使用性特点	国内外主要应用电压、时间及其反映
4	挤出模塑型接头（EMJ）Extruded Molded Joint	在严格实施安装过程的质量管理，包含借助计算机处理的X射线成像检测，能检出杂质50、伤痕深60、微孔40μm	日本克服了早期曾出现施工质量问题后，不仅在275kV大量应用，500kV接头的首次实践也采用此型
5	注入模塑型接头（IMJ）	预制橡胶应力锥和增强绝缘件套入连接处，注入液态橡胶，常温固化成形	德国420kV首创，1995年开始做预鉴定试验
6	部件模塑型接头（BMJ）Block Molded Joint	预制出与XLPE同材质的模件套入后模塑成形。比EMJ费时少一半，投资省10%	不存在相异材质的绝缘界面特性影响，可靠性高，日本1996年用于275kV
7	向对型接头（BBJ）Back to Back Joint	由置于注有油/SF_6的封闭筒内2个终端呈顶构成，它也可构成分支接头	澳大利亚1991年用于220kV，德国也应用
8	组合预制型（PJ）Prefabricated Joint	由乙丙橡胶应力锥、环氧树脂绝缘件、弹簧构成。橡胶预制件较小	日本首创，用于132kV～400kV，韩国66kV～500kV；英、丹、加、德用于300kV～500kV
9	整体预制型（PMJ）Pre-molded Joint	由单一硅橡胶绝缘件构成，其内径与电缆绝缘外径需较大的过盈配合，比PJ安装较简，但需来回拖拽易污损	欧洲首创，瑞典1972年用于80kV，现已至275kV；瑞士、荷兰用于60kV～500kV；英、美、法、澳多用于200kV～300kV；德、加、意、法用于300kV～500kV

续表 3

序号	接头构造类型的中英文名称(英文简称)	构成特征与使用性特点	国内外主要应用电压、时间及其反映
10	导体插接式整体预制型(PMJ-CF)	安装时不存在 PMJ 的来回拖拽,绝缘完整性获保障,安装更简,费时更少	荷兰首创,50kV～150kV 已应用 1500 个以上,275kV 级已通过型式试验
11	预扩径冷缩型(CSJ)Cold-Shrinkable Joint	工厂化预扩径,按所匹配电缆设螺旋形内衬,比 PMJ 易安装,增强绝缘可靠性	日本于 20 世纪 90 年代后期开发,用于 66kV～400kV
12	现场扩径冷缩型或称自压缩型(SPJ) Self-Pressurized Jiont	安装时的扩径使绝缘界面压力特性难免有差异,优点是它在隔氧密封下可保持 10 年,而 CSJ 只 2 年～3 年	日本首创,1995 年以来 66kV～132kV 已应用 1300 个,154kV81 个,220kV 包含在我国应用的已有 100 个以上

4.1.9 系新增条文。

系原条文 4.1.2 第 4 款和 4.1.6 第 4 款合并条款。

4.1.10 系原条文 4.1.9 修改条文。

电力电缆的金属套直接接地,是保障人身安全所需,也有利于电缆安全运行。

交流系统中 3 芯电缆的金属套,在两终端等部位以不少于两点直接接地,正常运行时金属套不感生环流。而交流单芯电缆则要考虑正常运行的时金属套感生环流及其损耗发热影响,故另以第 4.1.11 条区分要求。

电力电缆的金属套为金属屏蔽层、金属套、金属铠装层的总称,对于既有金属屏蔽层又有金属套的单芯电缆,金属套的接地是指二者均连通接地。

4.1.11 系原条文 4.1.10 修改条文。

交流单芯电缆金属套的正常感应电势(E_S)的推荐算法列于本标准附录F,适合包括并列双回电缆的常用配置方式,它引自日本东京电力公司饭冢喜八郎等编著《电力ヶーブル技术ハンドブシク》,1994年第2版。以往虽有资料给出E_S算法,或较烦琐,或仅示出1回电缆,而并列双回是大多电缆线路工程的一般性情况,忽视相邻回路影响的E_S算值,就比实际值偏小而欠安全。

1 50V是交流系统中人体接触带电设备装置的安全容许限值。它基于IEC 61936—1标准中所示人体安全容许电压50V～80V;IEC 61200—413标准按通过人体不危及生命安全的容许电流29mA(试验测定值为30mA～67mA)和人体电阻1725Ω计,推荐在带电接触时容许电压为50V。

2 本款为原标准条文,感应电势允许值在本标准2007版已在94版100V的基础上提升为300V,本次未作实质性修改,但仍需提示有关注意事项如下:

(1)随着高压电缆截面和负荷电流的日益增大,在较长距离电缆线路工程,受金属正常感应电势容许值(E_{SM})仅100V的制约,往往不仅不能采取单点接地,而且交叉互联接地需以较多单元,使得不长的电缆段就需设置绝缘接头。如500kV $1\times2500mm^2$电缆通常三相直列式配置时,每隔约250m就需设置接头;若以品字形配置虽可增大距离,但在沟道中会使蛇形敷设施工困难,且支架的承受荷载过重、载流量较小以及安全性降低,因而靠限制电缆三相配置方式并非上策。

又基于超高压电缆的接头造价昂贵,且接头数量若多,不仅安装工作量大、工期长,且将影响运行可靠性降低,因而,近些年日本、欧洲在大幅度增加电缆制造长度的同时,还采取提升E_{SM}的做法,以作为一揽子对策。如:日本中部电力公司海部线275kV $1\times2500mm^2$ XLPE电缆23km长,实施5个交叉互联单元,平均4300m长单元的3个区间段中,最长段按电缆制造长度1800m考虑；福冈 220kV 1×2000mm² XLPE 电缆线路 2.8km 长，若按以往电缆制造长度约 500m，需实施 2 个交叉互联单元，现可采取 1 个交叉互联，其最长区段按电缆制造长度增加为 1050m 考虑，由于接头减少，工程总投资节省了 5%；其他还有类似的工程实践，都具有 E_S 达 200V～300V 的特点（参见《电气评论》，1997.7 和《フジクラ技报》，1998.10 等）。英国国家电网公司曾对已运行 30 年的 21km 长 275kV 电缆线路进行改造，研究了由原来的 28 个交叉互联单元缩减为 7 个，交叉互联单元段长度增至 2955m～3099m，其中最大 E_S 达 214V；西班牙马德里地区 400kV 1×2500mm² XLPE 电缆 12.7km 长输电干线，采取 5 个交叉互联单元，单元中最长区段按电缆制造长度 850m 考虑，E_S 达 263V～317V，该线路于 2004 年建成运行（参见 IEEE TPD，2003，Vol.18，No.3 和 *Transmission & Distribution World*，2005，8）。

（2）原标准 94 版规定 E_{SM}≤100V，主要是参照日本 1979 年出版的《地中送电规程》（JEAC 6021），该规程 2000 年修订版取消 100V，改为在采取有效绝缘防护时不大于 300V；着有绝缘防护用具或带电作业器具时不大于 7000V（见《地中送电规程》JEAC 6021—2000）。此外，IEC 的有关标准迄今未显示 E_{SM} 值，然而在国际大电网会议（CIGRE）的有关专题论述中，曾涉及 E_{SM} 的提升，20 世纪 70 年代，当时一般按 E_{SM} 为 50V～65V 的情况下，CIGRE 有撰文提出，在人体不能任意接触的情况下，E_{SM} 可取 60V～100V；2000 年 CIGRE 的论述则提出 E_{SM} 可取 400V。美国电子电气工程师学会（IEEE）较早的标准《交流单相电缆金属层连接方式适用性以及电缆金属层感应电势和电流的计算导则》IEEE Std 575—1988 规定：应以安全性限制 E_S，却未明示 E_{SM} 值，只指出按通常电缆外护层的绝缘性，E_{SM} 可达 300V 但需以 600V 为限；该导则附录中还示出当时北美地区电缆工程实践的 E_S 最大值：美国 60V～90V，加拿大 100V，均比同期欧洲广泛以 65V 的做法要高。最新 IEEE Std 575—2014 标准附录 C 载有部分国家取值情况，美国 100V～200V，紧急负荷下为 275V，至少有一条地下电缆系统在紧急负荷下为 447V，加拿大 300V～400V，荷兰 400V，法国 200V（最大未超过 400V），澳大利亚 250V，日本 200V。

（3）E_{SM}超出 50V 时，不论是 100V 抑或 300V，都属于人体不能任意接触需安全防护的范畴，这一电压终究不很高，在考虑工作人员万一可能带电接触，如电缆外护层破损有金属套裸露时，运行管理中可明确需着绝缘靴或设绝缘垫等；至于在终端或绝缘头有局部裸露金属，除了可设置警示牌外，对安置场所可采取埋设均压带或设置局部范围绝缘垫等措施。

（4）E_{SM}值由 100V 提升至 300V，对于电缆护层电压限制器的三相配置接线与参数匹配，有如下考虑：

1）由于金属套上电气通路远离直接接地点的 E_S 值较以往可能增大 3 倍，在系统发生短路时该处的工频过电压 U_{ov} 相应也将比以往情况增大 3 倍，为使装设于该处的护层电压限制器承受的 U_{ov}不致过高，可把三相接线由过去的 Y0 改为采取△或 Y 等，从而使作用于护层电压限制器的 U_{ov}可降至 Y0 时的 $1/\sqrt{3}$ 倍或 1/2 倍或者更低。

2）护层电压限制器的残压 U_r不得超出电缆外护层冲击过电压作用时的保护水平 U_L，其工频耐压 U_R应满足 $U_R \geqslant U_{ov}$，是其参数选择匹配原则。如果因 U_{ov}比以往显著增大而不再满足该关系式，其方法之一是添加阀片串联数来提高 U_R，但伴随着 U_r会增大，需验核 $U_r \leqslant U_L$ 是否仍满足。近年日本的工程为适应 E_{SM} 提升，曾采用此方法实践，或有启迪性。

3）若上述 1）、2）尚不足以适应，可促使开发更佳参数的护层电压限制器，也并不存在克服不了的技术障碍。

（5）提升 E_{SM}的积极意义是减免单芯电缆线路接头的配置，既降低工程造价和缩短工期，又有利于增强电缆线路系统的可靠性。电压等级越高，其效益越明显。此外，还将会促使我国生产厂家增大电缆制造长度，随之更有助于上述积极意义的体现。总之，我国经济形势持续高涨下，高压、超高压的大截面单芯电缆线路工程建设将不断发展，提升 E_{SM} 仅每年投资节省费估计将超过百万元或千万元以上。

4.1.12 系原条文 4.1.11 修改条文。

本条系对电缆金属套的接地方式做原则性规定，对交流系统单芯电力电缆线路一端、中央部位单点直接接地以及交叉互联接地方式下电缆护层绝缘水平、护层电压限制器选择，还需根据电缆长度、电缆输送容量、雷电冲击电压、操作冲击电压、单相接地短路电流、电缆敷设方式、电缆本体参数、护层电压限制器参数等进行计算，确保护层电压限制器参数与外护层的绝缘水平配合，满足保护水平要求。

4.1.13 系原条文 4.1.12 修改条文。

单芯电力电缆及其接头的外护层和终端支座、绝缘接头的金属套绝缘分隔、GIS 终端的绝缘筒这三个部位，冲击耐压指标在国内外标准有不尽全面的各自规定，现列于表 4。

表 4 国内外标准中载列单芯电缆及其附件的冲击耐压(kV)指标

标准号	部　　位	各额定电压级对应外护层等冲击耐压(kV)				
GB/T 11017 GB 2952 GB/Z 18890.1	额定电压(kV)	≤35	66	110	220	500
	电缆外护层、户外终端支座	20		37.5	47.5	72.5
IEC 60229	电缆主绝缘额定冲击耐压(kV)	<380	—	380～750	750～1175	≥1550
	电缆外护层	20	—	37.5	47.5	72.5
IEC 60840—1999	电缆主绝缘额定冲击耐压(kV)	250～325	—	550～750	—	—
	电缆及其接头外护层，终端支座	30	—	30(37.5)	—	—
	绝缘接头的金属套分隔绝缘	60	—	60(75)	—	—

续表 4

标准号	部　　位	各额定电压级对应外护层等冲击耐压(kV)				
JEC 3402(日)	额定电压(kV)	—	66～77	110～187	220～275	500
	电缆外护层等	—	45(50)	60	65	80
	GIS 终端的绝缘筒	—	40	50	—	—
IEEE 404—1993(美)	额定电压(kV)	—	46～138		—	—
	绝缘接头的金属分隔绝缘	—	60		—	—

为评估电缆系统上述部位可能作用的暂态过电压,可经由计算或测试两个途径,简述如下:

(1)按电缆连接特征的等价电路求算:

1)电缆与架空线直接相连的情况,外护层的雷电冲击过电压算法:

①首侧终端接地、电缆尾侧金属套开路端的冲击过电压 U_{SA} 的表达式:

$$U_{SA}=2E\frac{RZ_{se}/(R+Z_{se})}{Z_{o}+Z_{c}+[RZ_{se}/(R+Z_{se})]}(\mathrm{kV}) \tag{1}$$

或当电缆尾端接有大的电容时:

$$U_{SA}=-4E\frac{Z_{c}}{Z_{o}+Z_{c}}\times\frac{Z_{se}}{Z_{c}+Z_{se}}(\mathrm{kV}) \tag{2}$$

②尾侧终端接地、电缆首侧金属套开路端的冲击电压 U_{SB} 的表达式:

$$U_{SB}=2E\frac{Z_{se}}{Z_{o}+Z_{c}+Z_{se}} \tag{3}$$

式中:E——雷电进行波幅值(kV);

Z_{o}——架空线波阻抗(Ω),一般为 400Ω～600Ω;

Z_{c}——电缆导体与金属套之间波阻抗(Ω);

Z_{se}——电缆金属套与大地之间波阻抗(Ω);

R——金属套接地电阻(Ω)。

Z_{c}、Z_{se} 与电缆规格、型式和敷设方式有关,尤其后者影响差异较明显。理论计算值与实测值往往有较大差异，现从日本和国际大电网会议(CIGRE)文献中摘列部分 Z_c、Z_{se} 值，列于表5。

表5　部分单芯电缆 Z_c、Z_{se} 值

电缆敷设方式	电缆规格、型式			实测值(Ω)		计算值(Ω)	
	电压(kV)	截面(mm^2)	型式	Z_c	Z_{se}	Z_c	Z_{se}
隧道	275	2500	充油	17.6	77.0	17.6	78.4
	220	2500	充油	17.8	53.9	15.5	79.2
	154	800	充油	13.0	21.4～22.6	10.9	87.5
管道	154	800	充油	15.0	22.0～25.0	16.6	5.7
	77	400	充油	14.3	12.7	13.2	8.6
	77	400	XLPE	29.6	25.5	26.4	6.9
	77	2000	XLPE	19.9	55.9	15.7	5.1
直埋	275	1000	充油	19.0	10.9	19.2	2.6
	225	400	充油	30.0	12.1	23.6	3.3
	110	1400	充油	10.0	11.5	8.8	3.2

2)电缆直连GIS终端的绝缘筒，因断路器切合时产生操作过电压，具有约20MHz高频衰减振荡波和波头长0.1μs陡度的特征，该行波沿电缆导体侵入，在金属套感生暂态过电压的相关因素和等价电路，如图1所示，可得到绝缘筒间过电压(U_{ab})、电缆金属套对地过电压(U_s)的表达式：

$$U_{ab}=2E_1\frac{\dfrac{L_2Z_{cs}}{L_2+Z_{cs}}+\dfrac{L_1Z_{se}}{L_1+Z_{se}}}{Z_c+Z_{cb}+\dfrac{L_2Z_{cs}}{L_2+Z_{cs}}+\dfrac{L_1Z_{se}}{L_1+Z_{se}}} \tag{4}$$

$$U_s=\frac{Z_{se}}{Z_{se}+Z_{cs}}U_{ab}(1-\varepsilon^{-\alpha}) \tag{5}$$

$$\alpha=\frac{1}{C}\cdot\frac{Z_c+Z_{cb}+Z_{se}+Z_{cs}}{(Z_c+Z_{cb})(Z_{se}+Z_{cs})} \tag{6}$$

式中：E_1——GIS的断路器切合过电压沿电缆导体进行波幅值(kV)；

Z_{cb}——气体绝缘母线的导体与护层间波阻抗(Ω);

Z_{cs}——气体绝缘母线的护层与大地间波阻抗(Ω);

L_1、L_2——气体绝缘母线和电缆的各自接地线感抗(Ω);

C——两护层间的杂散电容(F)。

其余符号含义同上。

以上算法虽不复杂,然而在工程设计中要确定准确的有关参数,一般较难办。

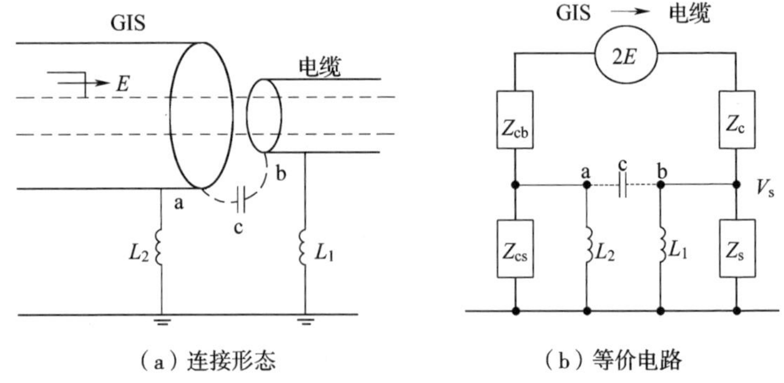

(a)连接形态　　(b)等价电路

图1　电缆直接GIS终端绝缘筒的暂态过电压计算用等价电路

(2)经由实际系统的测试结果评估。迄今所见,主要有日本报道过66kV及以上单芯电缆线路的系列实际测试,现摘列部分结果如下:

1)对于66kV~275kV电缆未设置护层电压限制器情况,自20世纪80年代起先后进行过10次以上测试,电缆线路金属套对地暂态过电压(U_s)分别达45.6kV、100kV~219kV、90kV~246kV(相应额定电压级为66kV、154kV、275kV),均已超出电缆外护层绝缘耐压水平。

此外,系列66kV~154kV电缆具有多个交叉互联单元的长线路测试数据,显示了电缆线路首端(雷电波侵入侧;若线路另一侧直连架空线,则存在两侧首端)起始1个~2个交叉互联单元的

U_s才有超过耐压值情况，其后的U_s均在耐压水平以下。虽然如此，但日本对275kV及以上电缆线路所有的绝缘接头，均仍设置护层电压限制器以策安全。

2)66kV～275kV电缆直连GIS终端的绝缘筒，在3种不同条件电缆线路的测试结果，U_{ab}分别达44.9kV、52.4kV、104.4kV、186.6kV(相应额定电压级为66kV、77kV、154kV、275kV)，均超出耐压值，若在绝缘筒并联0.03μF电容或护层电压限制器，则测得U_{ab}不超过6kV～14kV，证实有效(参见日本《电气学会技术报告》第366号(1991)、第527号(1994)等专题论述)。

(3)基于以上论述可进而就本条文内容解释：

1)单芯电缆的外护层等三个部位，在运行中承受可能的暂态过电压，如雷电波或断路器操作、系统短路时所产生，若作用幅值超出这些部位的耐压指标时，就应附加护层电压限制器保护，是作为原则要求。

2)因35kV以上电缆系统的U_s实测有超出耐压值情况，又考虑通常对具体工程难以确切判明，为安全计就一般而论，均需实施过电压保护。如果有工程经实测或确切计算认为无须采取，则属“一般”之外。

3)35kV及以下单芯电缆以往多未装设护层电压限制器，经年运行尚未反映有过电压问题；而实测U_s随额定电压由高至低有较大幅度变小的趋势，况且设置后若选用不当(如工频过电压的热损坏)也会带来弊病，故与35kV以上的对策宜有所区分。鉴于国内有的35kV电缆工程近也设置护层电压限制器，利于安全的积极意义，需引起重视，现综合都反映于条文中。

4)关于第1款第3项，首先需指出，我国迄今使用电缆直连GIS终端为国外引进产品，国内有关标准尚无GIS终端的绝缘筒耐压指标，现基于第1款第2项，并借鉴日本《地中送电规程》(JEAC 6021—2000)(如图2所示)拟定此对策。其次在用词上并未以“应”而取“宜”，是考虑到一旦若选用较高的耐压指标而

确能耐受 U_{ab} 时，保护措施或将免除。

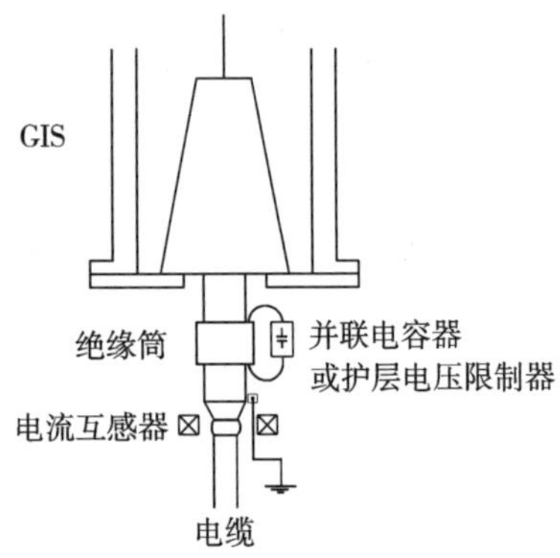

图 2　GIS 终端绝缘筒及其接地和保护示意

（4）增加第 3 款。

电缆护层电压限制器正常运行时承受的由负载电流引起电缆护套感应电压只有几十伏，最大不超过 300V，可忽略不计，采用单相接地短路电流引起的感应电压作为电压限制器的持续电压，这点与常规避雷器有区别，其持续运行电压的计算应满足现行国家标准《交流金属氧化物避雷器的选择和使用导则》GB/T 28547—2012 的有关规定。

采取敷设回流线方式来降低工频感应过电压只是对单点接地或中点接地电缆线路有效。交叉互联接地的电缆线路本身不需要装设回流线，原因是电缆线路交叉互联的每一大段的两端接地，当线路发生单相接地短路时，如接地电流不通过大地，则每相的金属护层通过 1/3 的接地电流，此时的金属护套相当于回流线，而每一小段金属护套的对地电压也就是绝缘接头的对地电压，此电压只是单端接地线路加回流线时的 1/3，同时电缆线路对临近的辅助电缆的感应电压也很小，因此，交叉互联接地的电缆线路不需再加回流线。

4.1.14　系原条文 4.1.13 修改条文。

现行的电缆用护层电压限制器（Sheath Voltage Limiter，SVL）主体为无间隙的氧化锌阀片，具有电压为电流函数的非线性变化特征，其特征参数含：①起始动作电压 U_{1mA}；②残压 U_r；③一定时间内的工频耐压 $U_{AC.t}$。

1 雷电波侵入或断路器操作时产生的冲击感应过电压，使 SVL 动作形成的 U_r，不致超过电缆护层绝缘耐受水平，是作为其功能的基本要素之一。U_r乘以 1.4 是计入绝缘配合系数。

2 电缆金属套相连的 SVL，在系统正常运行时所承受几百伏内的电压下，具有很高的电阻性犹如对地隔断状态；当系统短路时产生的工频过电压（$U_{OV.AC}$）在短路切除时间（t_k）内不超出 $U_{AC.t}$ 时，则 SVL 能保持正常工作。

我国现行 SVL 用的串联阀片，显示有单个阀片的特性参数，其 $U_{AC.t}$按 2s 给出。日本 66kV～275kV 电缆系统用的整体 SVL 示出参数含有 U_{1mA}≥4.5kV，U_r≤14kV；另对 SVL 在工频过电压下是否出现热损坏的界定，曾基于系列试验归纳出电压、时间临界关系曲线，如 t_k为 0.2s 或 2s 时，不发生热破坏的相应临界工频电压为 6.4kV 或 6kV（参见《电气评论》1997 年 7 月号载"电力ケーブル防食层保护装置の适用基准"）。

就 t_k值的确定而论，不同电压级系统继电保护与断路器动作的可靠性统计显示了 t_k存在差别，如日本 1984～1991 年根据 3 大电力系统实际，按电压级 500kV、275kV、154kV 及以下，推荐 t_k相应为 0.2s、0.4s、2s（见《电气学会技术报告》第 527 号，1994）；英国则按继电保护的第 2 级动作来择取 t_k（见 G. F. Moore，*Electric Cables Handbook*，1997），IEEE Std 575—2014 中 7.5 条给出建议，为了满足断路器重合闸要求，t_k按照继电保护最大动作时间的 2 倍考虑，按我国现行继电保护规范和部分运行统计，6kV 线路后备保护时间约为 1.45s，110kV 线路后备保护最大时间约为 1.9s，220kV～500kV 后备保护最大时间约为 1.5s，110kV 及以下取 2s

与日本 154kV 基本相同，220kV 和 500kV 则相对有较大裕度，与英国采用后备保护时间是一致的。若仍按原条文 t_k统一按 5s 以内计诚然偏安全，但考虑到正常感应电势提升至 300V 后(提升电压也是为了减少电缆接头和施工工程量，提高线路可靠性，见本标准第 4.1.11 条说明)，且随着电力系统容量规模越来越大，致使系统发生单相接地短路电流较过去有较大增加，增大的单相接地短路电流将会使金属套不接地端工频感应过电压 $U_{OV.AC}$值比以往会增大，给 SVL 的 $U_{AC.t}$选择可能带来困难，为了适应系统的这一较大变化，既满足 SVL 工频耐受过电压要求，又不至于采用缩短单点接地方式的电缆长度或缩短交叉互联每个电缆小段的长度来适应这一情况，进而减少了电缆中间接头数量和施工工程量，可提高线路运行可靠性，减少工程投资，故本次修订将“切除故障时间应按 5s 以内计算”改为“切除故障时间应按 2s 计算”。

根据护层电压限制器工频耐受电压时间特性，相同型号的护层电压限制器，因时间缩短，其工频耐受电压值相应增加。本次修订将 t_k改为 2s 后，对减少电缆工程投资具有积极意义。

4.1.15 系原条文 4.1.14 保留条文。

(1)单点接地方式电缆线路的 SVL 接线配置方式有 Y0、Y 或△。一般安置 SVL 的环境较潮湿，△法、Y 法的 SVL 需保持对地绝缘性，且不及 Y0 法易于实施阀片的老化检测，故以往实践中多使用 Y0 法，且三相装一箱，其中每台 SVL 还配置连接片或隔离刀闸。又△法比 Y0 法的抑制过电压效果较好，但承受工频过电压却是 Y0 法的 1.73 倍；Y 法则比 Y0 法的工频过电压稍低，它适合接地电阻大于 0.2 Ω情况。

(2)交叉互联电缆线路在绝缘接头部位，设置 SVL 的三相连接方式有多种提议，主要有 4 种方式：①Y0；②△或桥形不接地；③桥形接地；④△加 Y0 双重式。日本《地中送电规程》JEAC 6021—2000 载有①～③示例，如图 3 所示。

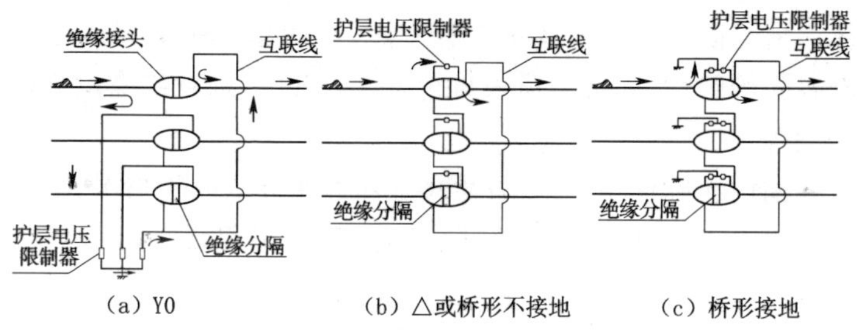

(a) Y0　　(b) △或桥形不接地　　(c) 桥形接地

图 3　交叉互联线路设置护层电压限制器的三相接线方式

从暂态过电压保护效果看，按最佳到较差的方式顺序依次有④>③>②>①；就方式②与方式③相比，如果保护回路一旦断线时，对地的暂态感应电势(U_s)二者虽相当，但绝缘接头金属套绝缘分隔的跨接暂态感应电势(U_{AA})，方式②比方式③显著较高；就连接线长度影响而论，方式①的连接线比方式②、方式③长，一般达 2m～10m 或电缆直埋时可能更长，暂态冲击波沿连接的波阻产生压降，与 SVL 的 U_r 一起叠加作用之 U_s，前者就往往占有相当份额，而方式③跨接于绝缘接头的 SVL 以铜排连接时长度只有 0.02m～0.2m。

从系统短路时产生 $U_{OV.AC}$ 作用于 SVL 的大小来看，方式①为方式②的 $1/\sqrt{3}$，方式③为方式②的 1/2。

从运行中定期需进行检测的方便性来看，带有隔离刀闸的 Y0 接线方式①就有其优点。

英国等欧洲电缆直埋线路曾广泛使用 Y0 接线，日本以往曾用 Y0 接线，近年则主要采取上述方式②、方式③，也有采取方式②与方式①联合方式。

(3)SVL 连接回路的要求，除了从电气性协调一致考虑外，还从实际使用条件以及经验启迪所归纳，尤其是直埋电缆的环境。例如：英国直埋电缆线路设置的 SVL 箱，按可能处于 1m 深水中条件做防水密封；箱壳顶采取钟罩式；箱体采取铸铁或不锈钢；箱内绝缘支承用瓷质件；对同轴电缆引入处加密封套；部分空隙以沥青化合物充填等。国际大电网会议(CIGRE)的有关导则也强调箱体应密封防潮。又如我国工程实践，有的箱底胶木板在运行中受潮丧失绝缘性，同轴电缆未与它充分隔开时，进行绝缘检测易出现误判等。

在国内实际使用中，常发生接地箱漏水导致故障情况，不少工程中已将 SVL 箱的防护等级提高至 IP65，工程设计时需引起重视。

4.1.16 系原条文 4.1.15 修改条文。

工程实践显示，一般在单点接地方式下设置回流线将使电缆线路的允许距离显著增长，对抑制电缆护层短路工频过电压 $U_{\mathrm{OV.AC}}$ 效果较好。

如 $U_{\mathrm{OV.AC}}$ 值增高超出 SVL 的 $U_{\mathrm{AC.t}}$ 时，交叉互联接地具有的使 SVL 由Δ接法改变为 Y0、桥形接地来降低 $U_{\mathrm{OV.AC}}$ 之途径，对单点接地方式却不适应，需以回流线的设置来适应。

4.1.17 系原条文 4.1.16 修改条文。

110kV 及以上交流系统中性点为直接接地，系统发生单相接地短路时，在金属套单点接地的电缆线路中沿金属套产生的 $U_{\mathrm{OV.AC}}$ 有下列表达式：

无并行回流线：

$$U_{\mathrm{OV.AC}} = \left[R + \left(R_{\mathrm{g}} + jw \times 10^{-4} \ln \frac{D}{r_{\mathrm{s}}}\right) l\right] I_{\mathrm{k}} \tag{7}$$

有并行回流线，回流线与电源中性导体接地的地网未连通：

$$U_{\mathrm{OV.AC}} = \left(R_{\mathrm{p}} + j2w \times 10^{-4} \ln \frac{s^2}{r_{\mathrm{p}} r_{\mathrm{s}}}\right) l I_{\mathrm{k}} \tag{8}$$

有并行回流线，回流线与电源中性导体接地的地网连通：

$$U_{\mathrm{OV.AC}} = \left(Z_{\mathrm{AA}} - Z_{\mathrm{PA}} \frac{R_1 + R_2 + lZ_{\mathrm{PA}}}{R_1 + R_2 + lZ_{\mathrm{PP}}}\right) l I_{\mathrm{k}} \tag{9}$$

$$Z_{\mathrm{AA}} = R_{\mathrm{g}} + j2w \times 10^{-4} \ln \frac{D}{r_{\mathrm{s}}} \tag{10}$$

$$Z_{\mathrm{PA}} = R_{\mathrm{g}} + j2w \times 10^{-4} \ln \frac{D}{s} \tag{11}$$

$$Z_{PP}=R_p+R_g+j2w\times 10^{-4}\ln\frac{D}{r_p} \tag{12}$$

$$w=2\pi f \tag{13}$$

式中： D——地中电流穿透深度(m)，当 $f=50\text{Hz}$ 时，$D=93.18\sqrt{\rho}$，ρ 为土壤电阻率(Ω·m)，通常为 20～100；直埋取 50～100；

R——金属套单点接地处的接地电阻(Ω)；

R_p 和 R_1、R_2——回流线电阻(Ω/km)及其两端的接地电阻(Ω)；

R_g——大地的漏电电阻(Ω/km)，$R_g=\pi^2\times f\times 10^{-4}=0.0493$；

r_p、r_s——回流线导体、电缆金属套的平均半径(m)；

s——回流线至相邻最近一相电缆的距离(m)；

I_k——短路电流(kA)；

f——工作频率(Hz)；

l——电缆线路计算长度(km)；当 SVL 设置于线路中央或者设置于两侧终端而在线路中央直接接地时，l 为两侧终端之间线路长度的一半。

运用式(7)～式(9)的一般结果显示：式(7)中 R 占相当份额，同一条件下有式(8)比式(7)式算值小，式(9)比式(8)算值较小因而比式(7)算值更小。由此，本条第 3 款和第 1 款的前一段得以释明，后一段则指系统短路时在回流线感生的暂态环流，按发热温升不致熔融导体是保持继续使用功能的最低要求，现以热稳定计是留有充分的安全裕度。

需指出，当电缆并非直埋或排管敷设而是在隧道、沟道中，则金属支架接地的连接线就具有一定程度的回流线功能。

4.1.18 系原条文 4.1.17 修改条文。

温度在线监测目前普遍采用的是基于分布式温度传感技术的电缆温度在线监测系统，该技术利用光时域反射原理、激光拉曼光谱原理，经波分复用器、光电检测器等对采集的温度信息进行放大并将温度信息实时地计算出来。在日本、欧洲及韩国等发达国家的电力公司，对于超过 110kV 的高压电缆均要求采用分布式测温设备。根据本标准《高压、超高压电力电缆及附件制造、使用和运行情况》调研报告，主要对高压、超高压电力电缆在线监测系统使用较多的广东、广西等进行了调研和统计，如表 6 所示。

表 6　电缆线路在线监测类型情况统计表(台、套)

监测类型	广东	广西	贵州	海南	深圳	超高压	合计
电缆护套环流监测	282	12	1	0	38	0	333
电缆局放	36	2	0	0	2	0	40
电缆在线测温	27	0	1	0	2	0	30
电缆故障定位	11	0	0	0	0	0	11
充油电缆油压监测	1	0	0	0	0	0	1

实际工程中，高压电缆在线监测根据电缆重要程度往往只装设了一种或两种。如国内某变电站线路工程，由于受变电站周边场地的制约，变电站侧 3 回 110kV 进线采用电缆线路与系统相连，每回电缆线路约 0.6km。该段电缆线路全程采用电缆沟＋排管敷设方式。

电缆型式：单芯铜导体、交联聚乙烯绝缘，波纹铝护套、聚氯乙烯外护套电力电缆。电缆截面：$1\times630mm^2$。

该电缆线路设置一套分布式光纤测温系统实现对电缆线路的在线监测功能。分布式光纤测温系统由主机、传感光纤及其他配置组合而成，可连续测量、准确定位整条光纤所处空间各点的温度，通过光纤上的温度的变化来检测出光纤所处环境变化，当电缆温度超过报警限值时，发出报警信息，并显示报警点位置及温度。在掌握电缆全线的表面温度后，通过专用软件计算电缆线芯温度和电缆负载率，为线路调度提供依据。

总体结构图如图 4 所示。

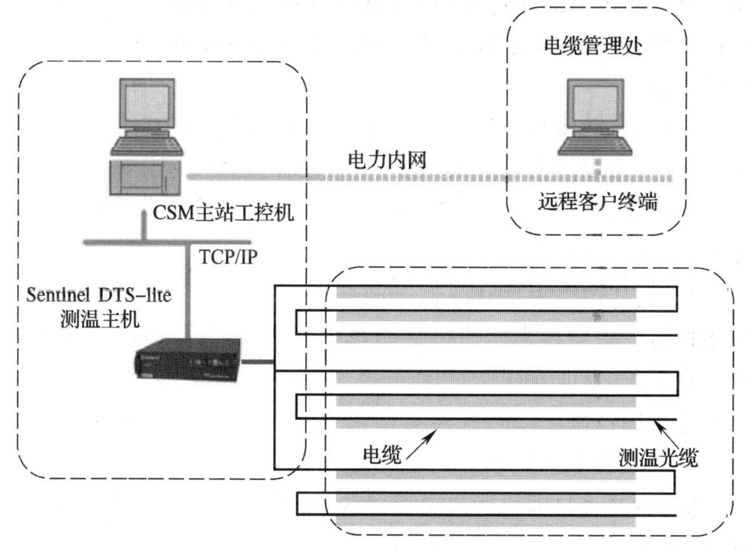

图 4　电缆线路在线监测总体结构图

分布式光纤测温及电缆载流量在线监测系统可实现以下主要功能：

(1)温度监测功能：具备实时监测记录电缆的全程不间断运行温度。

(2)温度监测和温度异常报警功能：通过对电缆表面温度、环境温度的监测，及时发现电缆运行过程中出现的问题以及运行电缆周围环境的突变，具备最高温度报警、温升速率报警、平均温度报警、系统故障报警、光纤断裂报警等功能，并能显示、记录测温数据、报警位置等信息。

(3)载流能力评估功能：能对测量的电缆温度数据进行分析，即根据电缆表面温度及其他相关数据计算出电缆导体运行温度，以及目前运行状态下电缆的最大稳态载流量，并生成相应的负荷曲线(含实时负荷曲线和最大允许的负荷曲线)。

(4)在紧急状态下载流能力评估功能：给定过载电流和过载时

间可以计算出电缆的过载温度，给定过载电流和最高允许温度可以计算过载时间，给定过载时间和最高允许温度可计算最大允许过载电流。

(5)动态载流量分析功能(日负荷)：能对测量的电缆温度数据进行分析，即根据电缆表面温度、实时电流及其他相关数据实时计算出电缆导体温度；给出未来许用电流的预测，给定预设电流可以计算出电缆安全运行时间。

(6)海底电缆温度在线监测系统通过海缆自带的一根单模光纤或增设一根多模光纤实时监测长距离海缆的表面温度、导体温度及载流量，及时发现海缆过热点、异常点，保障海缆的安全运行，是海缆预防性维护的必要的基础设施，能够大幅降低海缆故障以后带来的昂贵的维护成本。

因此，鉴于目前在线温度监测装置制造水平不断提高，根据本标准《高压、超高压电力电缆及附件制造、使用和运行情况》调研报告情况和实际工程也有较多成熟的应用，且装设对电缆运行有一定的监测作用，对提高高压电缆线路运行管理水平有较好作用。

4.1.19 系原条文4.1.18修改条文。

110kV及以上高压电缆线路金属套通常采用单端接地或交叉互联接地，此时金属套内电流只有很小的电容电流或环流电流。若电缆金属套外护套发生破损接地，则会在金属套、接地线内产生明显较大的电流。该电流可能导致电缆温度升高，进而导致绝缘加快老化。高压电缆护层电流监测装置通过在电缆护层接地线上安装一套接地电流采集装置，实现对电缆接地电流的实时监控，一旦电缆发生故障，装置会马上发出报警，提示相关人员对电缆故障进行及时处理，可提高电缆运行的安全性。装置主要应用于交叉互联系统护层接地电流监测、保护接地线监测、直接接地线监测、GIS终端接地线监测等方面。装置直接采用电流互感器进行采样、监测。其原理示意图如图5、图6所示。

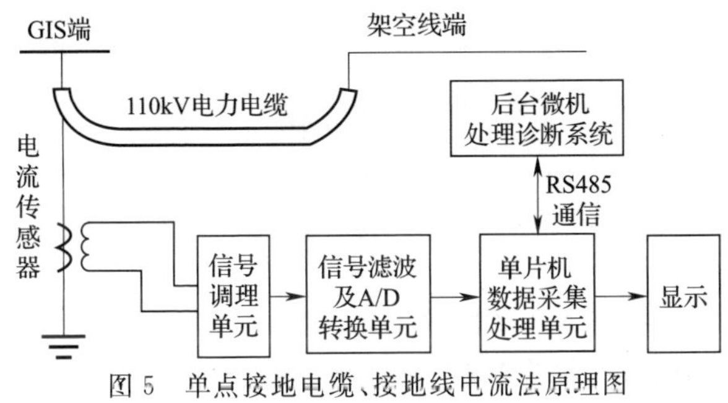

图5　单点接地电缆、接地线电流法原理图

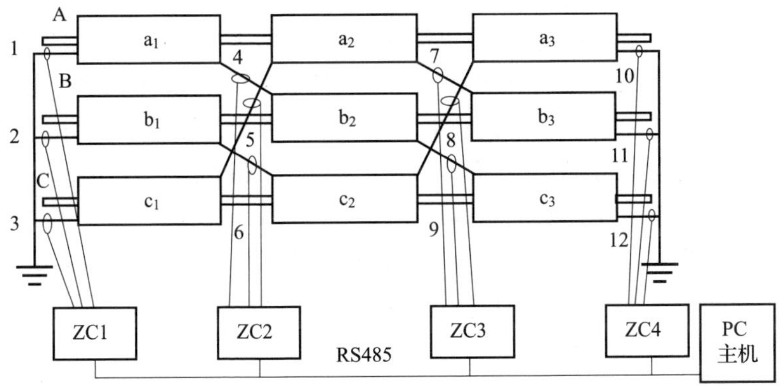

图6　交叉互联接地电缆、接地电流在线监测系统

4.1.20　系新增条文。

4.2　自容式充油电缆的供油系统

4.2.1～4.2.6　系原条文4.2.1～4.2.6保留条文。

5 电缆敷设

5.1 一般规定

5.1.3 系原条文5.1.3修改条文。

1 用词“应”改为“宜”，排列顺序并非一定要“由上而下”，与本款第2段条文用词协调一致。

2 当电缆通道受限或电缆数量较少时，无法另增设一层支架或者增设支架空置空间太多，造成材料浪费的情况下，可在1kV及以下电力电缆和强电控制电缆之间设置防火封堵板材或耐火电缆槽盒等防火分隔，并具有有效的防电气干扰措施（如采用屏蔽型控制电缆或者增加接地金属隔板等），允许敷设在同一层支架上。在火力发电厂工程中有采用少量低压电缆与强电控制电缆共用同一层桥架中间加金属隔板应用实例，未见有不良反映。

5.1.5 系原条文5.1.5修改条文。

交流三相单芯电力电缆线路，当距离较长时需要进行换位，以使三相电抗相等，避免各相负载电流分配不均衡。

5.1.9 系原条文5.1.9修改条文。

在电缆发生火灾时，无论是可燃气体、可燃液体还是易燃气体、易燃液体，均为燃烧物质，有明火时会迅速燃烧甚至发生爆炸事故，对电缆构筑物设施及人员构成严重的安全威胁，例如2016年6月18日，西安南郊某变电站发生火灾事故，因电缆沟失火导致其中一台主变故障起火，造成另外一台主变跳闸，同时波及330kV南郊某变电站#3主变故障跳闸，造成南郊某变电站330kV停电。据事后分析，主要原因是电缆沟内35kV电缆中间接头故障，电缆沟内存在可燃气体引起爆炸。

“易燃”改为“可燃”，与现行国家标准《爆炸危险环境电力装置设计规范》GB 50058 的有关规定一致。

5.1.10 系原条文 5.1.10 修改条文。

“易燃”改为“可燃”，与现行国家标准《爆炸危险环境电力装置设计规范》GB 50058 的有关规定一致。

5.1.16 系原条文 5.1.16 修改条文。

1kV 及以下电源中性点直接接地时，PE 导体除可由多芯电缆中的导体构成，尚可由下列的一种或多种导体组成：

(1)与带电导体共用的外护物的绝缘的或裸露的导体；

(2)固定安装的裸露的或绝缘的导体；

(3)符合《低压电器装置　第 5.54 部分：电器设备的选择和安装　接地配置和保护导体》GB 16895.3—2017 中 543.2.2 的 a)和 b)规定条件的金属的电缆护套、电缆屏蔽层、电缆铠装、金属编织物、同心导体、电缆的金属导管。

(4)当过电流保护器用作电击防护时，保护接地导体应合并到与带电导体组成同一的布线系统中，或放置在靠它们最近的地方。

5.1.19 系新增条文。

为降低核电厂非安全级电路对安全级电路和相关电路，以及冗余的安全级电路之间的相互影响，需要对其电缆通道进行实体隔离。

《压水堆核电厂电缆敷设和隔离准则》EJ 344—88 第 3.4 条规定：“安全级线路冗余通道之间，分隔距离应尽可能大于 6m，在难以实现处，有限制危害区最小分隔距离为垂直 1.5m，水平 1m；无危险区最小分隔距离为垂直方向 1m，水平方向 300mm”。《核电厂安全级电气设备和电路独立性准则》GB/T 13286—2008 中也有明确规定，详见该准则第 5.1.4 节。

法国核电锅炉设备设计和建造规则协会出版的《法国核岛电气设备设计和建造规则》RCC－E－97 中规定：“在某一个安全系列的电缆或相关电缆同另一个安全系列的电缆或相关电缆不能敷设在同一电缆托盘内”。我国引进法国技术的 CPR1000 机组对于电缆实体隔离原则一般在工程设计文件《核岛电缆敷设准则》中予以规定。台山核电 EPR1700 机组同样出版了 *Design Procedure—DP* 08.00-*EPR Cabling Principles*，详细规定了核电厂电缆隔离的具体要求。

5.2 敷设方式选择

5.2.3 系原条文 5.2.3 修改条文。第 4 款系原条文 5.4.3 条第 2 段条文纳入本条。

5.2.12 系原条文 5.2.12 保留条文。

发电厂等工业厂房采用的桥架是按较长耐久性做一次性防腐处理，又因电缆少有接头，故维修周期长，工作量少，而厂房具有管道布置密集、空间受限的特点，因此架空桥架不宜设置检修通道。但城市电缆线路较长，路径常处于交通繁忙且管线设施较多，或有立体交叉等复杂环境，加之有些桥架一次性防腐处理的耐久性时间不够长，又存在较多电缆接头，需有一定的维护工作量，以往电缆线路架空桥架却因缺乏检修通道，而在维护时阻碍正常交通，故作此规定。

5.3 电缆直埋敷设

5.3.3 系原条文 5.3.3 修改条文。

因行车道上也可能有重载汽车经过，就需按照本标准第 3.3.6 条直埋敷设电缆与道路交叉时情况考虑，需以穿管保护，故取消“行车道”，以策安全。

5.3.4 系原条文 5.3.4 修改条文。

与现行国家标准《电气装置安装工程　电缆线路施工及验收规范》GB 50168 规定一致。

5.3.6 系原条文 5.3.6 修改条文。

根据现行行业标准《铁路路基设计规范》TB 10001，铁路路基断面分轨枕、道床、路肩等，路基断面为三角形路拱，由路基中心向两侧设4%的人字排水坡度，穿越铁路“路基”系指三角形具有4%人字排水坡度的路基面。因此，“路基”一词对铁路和道路而言，其含义是有所区别的，穿越铁路时埋管深度以铁路路基面为基准，而穿越道路时以道路路面为基准，因此，将穿越铁路、道路分别规定，并增加保护管埋设深度和管道排水坡度的要求。

“公路”用词改为“道路”，其含义更广，系指供各种无轨车辆和人通行的基础设施，按使用特点分为城市道路、公路、厂矿道路、林区道路及乡村道路等。故本标准其他原条文中“公路”均统一为“道路”。

5.4 电缆保护管敷设

5.4.3 系原条文5.4.3保留条文。

地中电缆保护管的耐受压力，除了覆盖土层的重量，在可能有汽车通行的地方(有的现虽无道路但并不能断定没有载重车经过)还需计入其影响。日本《地中送电规程》JEAC 6021—2000也如此规定，还给出有关计算数据：土层的单位体积重量为$16kN/m^3$～$18kN/m^3$(不含水分)或$20kN/m^3$(含水分)；路面交通荷重(埋深不超过3m时，计入车辆急刹车时冲击力)为$12kN/mm^2$～$35.5kN/mm^2$(相应埋深由3m至1m变化)。其载重车总重按220kN或250kN，后轮重2×47.5kN或2×50kN，依55°分布角推算出均布荷载。

电缆保护管可使用钢管、塑料管、玻纤增强塑料(FRP)管等，由于FRP管强度较高，不像塑料管需以混凝土加固，可纵长以适当间距设置管枕来直接埋土敷设。现对管枕的允许最大间距示明确定原则，是基于实践的安全性考虑。它与日本同类应用FPR管的技术要求一样。

5.4.5 系原条文5.4.5修改条文。

根据设计和现场施工实践，电缆保护管弯头一般不会超过3个，当电缆路径复杂需要3个以上弯头时，可采用两段保护管。

将原条文第2款中与铁路交叉时保护管埋深合并至本标准第5.3.6条中。

5.5 电缆沟敷设

5.5.1 系原条文5.5.1修改条文。

电缆沟的宽、深尺寸的确定除需考虑全部容纳电缆的最小弯曲半径、安装维护方便的要求外，还需考虑安全运行的要求。表5.5.1保留原电缆沟的尺寸。

取消原条文表5.5.1中"注：* 浅沟内可不设置支架，无需有通道"，此备注仅适合户内不易积水的浅沟，而对室外浅沟，可能存在排水不畅引起沟内长期积水，存在电缆长期浸泡在水中隐患。因此，对浅沟内无需通道，但仍需设置支架。

5.5.2 系原条文5.5.2修改条文。

本条规定电缆沟内的电缆支架或梯架、托盘的层间距离确定的原则要求，同样适用于电缆隧道、电缆夹层、电缆竖井、综合管廊等敷设要求。影响层间距离的主要因素有：

(1)高压单芯电缆呈品字形配置时，可能以铝合金制夹具固定，故对3根电缆外接圆的外径，需计入金具凸出的附加尺寸。

(2)接头一般比电缆外径粗，不同构造型式接头有一定差异，就高压XLPE电缆用整体橡胶预制式(简称PMJ或RMJ等)与组合预制式(即橡胶制应力锥与环氧树脂模制部件组装，简称PJ)相比，PJ约比PMJ粗100mm。如220kV $1\times2000mm^2$ XLPE电缆外径约为138mm、PJ的外径约为360mm。此外，绝缘接头上直接以铜排跨接护层电压限制器时，又占有一定空间。

(3)电缆支架托臂通常为不等腰梯形断面，随着电缆外径越粗，其承受荷载就越重，则托臂的断面包含高度尺寸会相应较大。

(4)同一电压级电缆截面供选择的范围很大，像中压电缆一般有$50mm^2$～$1000mm^2$，高压有$200mm^2$～$2500mm^2$，故同级电缆的外径变化约1.5倍～1.7倍。

鉴于上述因素，如果没有前提限制，按电压等级来制订满足条文要求的层间距离值，就必然很大，这对使用电缆截面尚小、接头外径不大等情况，显然会导致构筑物尺寸很不经济合理。此外，日本《地中送电规程》JEAC 6021—2000 虽未规定统一的层间距离允许值，但就各类使用条件（包含电压等级、某一电缆截面以下等）给出示例值以供参考（可参见《广东电缆技术》，2006，No.3）。

表 5.5.2 所列值并非适合各电压等级的全部截面电缆或所有接头，如有截面很大或接头外径很粗的情况，需要按条文要求的原则和电缆外径实际尺寸作调整。

5.5.3 系原条文 5.5.3 修改条文。

1 最上层支架距盖板的净距允许最小值，除了电缆引接上侧盘柜时满足最小弯曲半径要求以及电缆梯架和托盘外壳高度外，其他如电缆隧道、电缆夹层、电缆工作井等采用电缆支架的情况取消增加值 80mm～150mm。理由如下：①参考国内电缆沟、电缆隧道典型安装图集，均取相邻支架的层间距离，工程实践没有反映有不良影响；②最上层电缆支架按照相邻支架层间距取值，不影响电缆的安装维护；③节省电缆构筑物断面尺寸，减少工程投资。

2 对电缆沟内电缆支架最下层支架距沟道底部的垂直最小净距值，是考虑到电缆沟排水不畅，引起沟内积水，电缆或支架可能浸泡在水中，导致电缆绝缘受损和支架腐蚀，因此适当提高最下层支架距沟底垂直净距对改善电缆和支架运行条件是有益的。净距值是指支架、梯架或托盘的托臂下沿至沟底部的距离。

5.5.4 系原条文 5.5.4 修改条文。

室内电缆沟盖板与地坪取齐，系考虑人行方便。在易于积灰且采用水冲洗清洁方式的厂房、车间内，一般不建议采用电缆沟敷设方式，若确实受限需采用电缆沟敷设方式，电缆沟盖板可略高于地面，并做好人行安全的防护措施。

室外电缆沟高出地坪可兼做操作走道，也是为了减少雨水进入电缆沟内，避免雨水夹带污水、泥沙等进入电缆沟影响电缆沟内排水系统，但同时也带来影响厂区排水问题，因此为兼顾厂区排水，可分区段在电缆沟上部设置现浇钢筋混凝土渡水槽，也可采用电缆沟盖板低于地坪300mm、上面铺以细土或砂的布置方式，这种方式相对于地面电缆沟而言，不影响厂区景观，但对运行维护不是太方便，也不利于电缆的散热，具体采用何种方式，可根据具体情况确定。

5.5.7 系新增条文。

为防止带油设备因事故漏油而侵入到电缆沟内，引起安全隐患，带油设备附近的电缆沟沟盖板应做好密封。

5.6 电缆隧道敷设

5.6.1 系原条文5.5.1修改条文。

电缆隧道和工作井内电缆配置需满足安全运行的基本要求，此外，电缆配置方式还可有进一步增强安全或提高运行经济性的其他考虑，诸如：①在工作井的管路接口引入的局部段，也以弧形敷设成伸缩节，使在热伸缩下避免电缆金属套出现疲劳应变超过允许值而导致的开裂；②在隧道等全长线路，每回单芯电缆各相以适当间距，组成品字或直角乃至平列式配置，有助于提高载流量；③2回及以上高压单芯电缆并列敷设情况，加大其并列间距可减少金属套涡流损耗，从而能提高载流量等。这都在一定程度上有导致空间尺寸增大趋向，随之可能影响工程造价增加，尤其地中长隧道较显著，因而同时需顾及投资增加因素，选择恰当的配置以获技术经济综合最佳。

电缆隧道和工作井内敷设施工与巡视维护作业，所需通道的宽、高空间允许最小尺寸，原标准的规定值获工程实践认同，予以保留，仅补充工作井的相关内容。

(1)城网电缆隧道深埋通常以地中推进的构建方式，且由于其空间尺寸较大，会导致工程造价很高，故考虑非开挖式比开挖式隧道的通道宽度宜紧凑些。日本《地中送电规程》JEAC 6021—2000

规定:“考虑到隧道中施工与巡视维护活动的有限次数,通道宽度按正常步行姿势所需不小于 700mm～800mm 即可,高度则为不小于 2000mm”。可借鉴作为非开挖式隧道引用。

(2)考虑到地中推进大口径管构建的隧道,一般在断面为圆形的下侧弓弦处设置步行地坪,故不再采取隧道净高而直接以通道净高论。

(3)隧道与其他管沟交叉的局部段,允许比人员通行高度降低的情况,不适用于长距离隧道,以策安全。

(4)工作井分为封闭式和可开启式,封闭式工作井因进人检修,其净高不宜小于 1.9m。可开启式工作井井口,为了减少外面雨水进入,一般需伸出地面,工矿企业厂区的工作井井口顶面盖板四周边缘宜高出地坪 100mm,市政道路绿化带内取 300mm。

5.6.2～5.6.5 系原条文 5.5.2～5.5.5 修改条文。

保留原标准有关电缆隧道、封闭式工作井的内容。

5.6.6 系原条文 5.5.7 修改条文。

除第 1 款有局部调整外,基本为原条文规定。

1 考虑电缆隧道中巡检人员安全出口的需要,在工业性厂区或变电站内隧道的安全孔间距不应大于 75m,与现行国家标准《火力发电厂与变电站设计防火规范》GB 50229 规定一致,而城镇公共区域不宜设置过密间距的安全孔(门),且结合一般电缆敷设与通风装置,200m 左右设置较为合适,但对于非开挖式隧道,通常埋深可能达 10m～50m,加以大口径管顶进的构建方式,其安全孔设置难度很大,不便对安全孔间距作硬性规定。

2 封闭式工作井当成安全孔供人进出时,在公共区域需要防止非专业人员可能随便进入。如日本《地中送电规程》JEAC 6021—2000 就明确规定:“工作井的盖板应使得专业工作人员外的一般人不容易开启,以预防任意进入的危险,为此,不仅需盖板具有足够重的重量,而且需使用特殊的开启工具”。

3 敷设电缆用牵引机、电缆接头组装用机具、隧道内安置防噪声的大叶片风机、照明箱和控制箱等，其尺寸较大，安全孔(门)需有适合通过的尺寸。

4 安全孔设置合适的爬梯，是指一般为固定式，且在高差较大时宜有单侧或双侧的扶手栏杆，以保证人员安全。

5 隧道安全孔的出口设置在车辆通行道路上，将达不到安全效果，宜尽可能避免。

5.6.9 系新增条文。

城市电力电缆隧道的监测与控制设计等一般与工业性厂区或变电站内建设条件、环境条件有差异，其要求还应符合现行行业标准《电力电缆隧道设计规程》DL/T 5484的有关规定。

5.6.10 系新增条文。

城市综合管廊中电缆舱室的环境与设备监控系统设置、检修通道净宽尺寸、逃生口设置等一般与工业性厂区或变电站内建设条件、环境条件有差异，其要求还应符合现行国家标准《城市综合管廊工程技术规范》GB 50838的有关规定。

5.7 电缆夹层敷设

5.7.1～5.7.3 系原条文5.5.1～5.5.3修改条文。

保留原条文有关电缆夹层的内容。

5.7.4、5.7.5 系新增条文。

5.8 电缆竖井敷设

5.8.2 系新增条文。

近年来，有较多火力发电工程逐渐采用钢制电缆竖井，在工厂加工制作，质量易得到保证，还具有现场安装方便、占用空间小、外观相对较好等优点，但成本略高。

5.8.3 系新增条文。

从消防安全考虑，办公楼及其他非生产性建筑物内，电缆垂直主通道应采用专用电缆竖井，不应与其他管线如消防、燃气、采暖通风等管线共用。

5.8.4 系新增条文。

在竖井内垂直敷设时，对于高压电力电缆由于电缆自重较大，对带皱纹金属套的电缆容易引起电缆导体和金属套间的相对位移，因此，在设计选用和订货时应向制造厂提出防止导体与金属套之间发生相对位移的技术措施。

5.8.5 系新增条文。

电缆在竖井内垂直敷设时支架、梯架或托盘的层间距离和敷设要求，与电缆沟、电缆隧道敷设要求相同，故应按照本标准第5.5.2条规定执行。

5.9 其他公用设施中敷设

5.9.4 系新增条文。

系原标准表5.5.3中对在公共廊道中电缆支架无围栏防护时的最小净距要求。

5.9.5 系新增条文。

系原标准表5.5.3中厂房内电缆支架最下层距离要求不低于2m的规定。

5.9.6 系新增条文。

系原标准表5.5.3中厂房外电缆支架最下层距离要求。

在厂区内一般属于封闭管理区域，随着工矿企业管理水平的大幅提升，原条文对无车辆通过情况下，未区分是否有行人通过，规定电缆桥架最下层距地面最小净距为2.5m，该尺寸有些过高，必要性已不大，且在厂区内架空敷设的电缆构筑物，考虑遮阳和美观要求一般都采用电缆梯架或托盘敷设，对电缆有一定的防护作用，因此，对无车辆和无行人通过的情况下，采用落地布置，可以节省大量的土建构筑费用，在实际工程已有不少应用实例，未见不良反映。同时，企业也需根据自身实际情况，加强电缆的防护工作，尽量避免电缆构筑物受到意外损伤。

5.10 水下敷设

5.10.2 系原条文5.7.2修改条文。

在通航水道等需防范外部机械力损伤的海底电缆，其保护方式并非单一的埋置于沟槽的保护方式，根据国外大量海底电缆工程经验以及我国第一条超高压交流500kV海底电缆工程——广东—海南联网工程经验，如有的海床坚硬，采用冲埋、挖沟、机械切割挖填的方式几乎不可能或者施工代价太大，需采用加盖保护如抛砂石、混凝土盖板、石笼盖板等保护方式，也有为提高电缆抗破坏能力，采用加套管保护，如铸铁管保护。当采用铸铁管保护时，由于交流单芯电缆产生的交变磁场会引起磁性套管材料铁磁损耗，导致电缆发热，载流量下降，采用时需要校验电缆载流量。因此，海底电缆保护方式需根据海底风险程度、海床地质条件和施工难易程度等条件综合分析比较后确定合理的保护方案。

5.10.4 系原条文5.7.4保留条文。

为避免水下电缆与工业管道之间相互影响，便于施工和事故后修复作业，根据水下电缆施工作业的复杂性，并参考前苏联《电气安装规程》的规定和国土资源部令第24号《海底电缆管道保护规定》中海港区内海底电缆管道保护区的范围取值，采取一定的间距，利于安全。

6 电缆的支持与固定

6.1 一 般 规 定

6.1.2 系原条文 6.1.2 修改条文。

原标准表 6.1.2 中“35kV 以上高压电缆”改为“35kV 及以上高压电缆”，根据工程实践经验，35kV 电缆自身强度满足水平支架间距 1.5m 和垂直支架间距 3m 的要求。与现行国家标准《电气装置安装工程　电缆线路施工及验收规范》GB 50168 的规定一致。

6.2 电缆支架和桥架

6.2.4、6.2.5 系原条文 6.2.4、6.2.5 修改条文。

由于核电厂常规岛及与生产有关的附属设施内存在部分安全级电缆，为保证这部分电缆在厂址安全停堆地震(SSE)作用下保持功能完整，要求该部分电缆通道及其支架满足国家现行标准《核电厂的抗震设计与鉴定》HAD 102.02—1996、《核电厂抗震设计规范》GB 50267—97、《核电厂安全级电路电缆通道系统设计安装和鉴定准则》NB/T 20070—2012 的相关要求。

6.2.7 系原条文 6.2.7 修改条文。

1 实践证明，屏蔽外部的电气干扰，采用无孔金属托盘加实体盖板能起到较好的效果。

2 在有易燃粉尘场所如火力发电厂的输煤系统，据反映，除桥架最上一层装设实体盖板外，以下其他各层仍然较容易积聚粉尘，另根据 NFPA 850—2010 版第 7.8.3.2 条的规定，易积聚煤粉和扩散溢油的电缆桥架应覆盖金属板。因此，本次修订为每层加装盖板，以策安全。

3 按照 NFPA 850—2010 版第 7.8.3.2 条的规定，如果存在潜在漏油问题，应避免使用实底电缆桥架，故高温、腐蚀性液体或油的溅落等需防护场所应采用有孔托盘，且每一层均装设实体盖板，既可增强防护措施，又可兼顾电缆的散热。

7　电缆防火与阻止延燃

7.0.1　系原条文7.0.1修改条文。

对原条文防火阻燃措施的一些名词叫法进行了统一和规范，如对电缆实施的防火分隔方式，主要含有防火封堵、防火墙、阻火段三种不同形式或叫法，习惯上，对盘柜孔洞、楼板孔、穿墙孔、电缆竖井的防火分隔方式采用“防火封堵”；对电缆沟、电缆隧道的防火分隔方式采用“防火墙”；对架空桥架的防火分隔方式采用“阻火段”。

7.0.2　系原条文7.0.2修改条文。

2　修改说明：①增加了架空桥架设置阻火段的要求；②随着我国社会经济的发展和对安全生产新的要求，即使一般回路的电缆沟内发生火灾，如不实施防火封堵，也可能造成火灾事故扩大，引起机组减负荷或停机，或造成财产损失，不限于仅仅在重要回路才实施防火分隔措施，因此本次修订取消“重要回路”用词；③关于长距离电缆沟、隧道及桥架防火分隔间距取值问题，本标准作为电力工程的一般共性要求，采纳了国家现行标准《火力发电厂与变电站设计防火规范》GB 50229、《电力设备典型消防规程》DL 5027、《城市电力电缆线路设计技术规定》DL/T 5221及《电力工程电缆防火封堵施工工艺导则》DL/T 5707相关条文的要求。

3　系新增条款。根据现行国家标准《火力发电厂与变电站设计防火规范》GB 50229—2006第11.3.2条、国家能源局《防止电力生产事故的二十五项重点要求》(2014)第2.2.4条和现行行业标准《电力设备典型消防规程》DL 5027—2015第10.5.12条的规定编制。与动力电缆同通道敷设的控制电缆、通信光缆等少量电缆采用穿入阻燃管敷设较为方便，但工程中往往控制电缆较多，采用动力电缆和控制电缆之间设置层间防火封堵板材能起到一定的防火分隔作用。

4 系新增条款。根据《电力工程电缆防火封堵施工工艺导则》DL/T 5707—2014 第 3.0.7 条、《水利水电工程电缆设计规范》SL 344—2006 第 8.0.6 条和《城市电力电缆线路设计技术规定》DL/T 5221—2016 第 9.3.1 条的规定编制。

7.0.3 系原条文 7.0.3 修改条文。

1 防火封堵材料或系统一般不要求测试其承受荷载能力，像阻火包或防火泥这样的材料自身没有粘结性，无法受力，必须通过承托构件承托，在楼板、电缆竖井封堵中超过 0.4m×0.4m 的封堵孔洞，靠防火封堵板材自身强度是无法保证检修、巡视人员的人身安全的，因此，在楼板、竖井防火封堵结构中需要采取相应的承托件比如钢筋网、钢梁、承托板等，确保检修、巡视人员的安全。

4 建(构)筑物中电缆引至电气柜、盘或控制屏、台的开孔部位，电缆贯穿隔墙、楼板的孔洞，电缆沟、隧道的防火墙，电缆桥架的阻火段等采用的防火封堵材料，其最低耐火极限不应低于 1.0h，同时还应与贯穿物部位构件的耐火极限要求一致，不同功能的建筑物耐火等级有所不同，如油浸变压器之间的防火墙耐火极限为 3.0h，如该防火墙上有电缆孔洞穿越，其孔洞防火封堵的耐火极限也应为 3.0h，具体可参见现行国家标准《火力发电厂与变电站设计防火规范》GB 50229、《建筑设计防火规范》GB 50016 等的有关规定。现行国家标准《防火封堵材料》GB 23864—2009 附录 B 中 B.6 条提出：试件试验结果的耐火性能并不能用于所有的结构形式。防火封堵组件的耐火性能会受到缝隙(环形间隙)宽度、深度、贯穿部位构件类型等诸多因素影响，为了更安全、合理，应对与实际使用工况一致的防火封堵组件的耐火性能进行测试，该防火封堵组件的耐火性能应按照现行国家标准《防火封堵材料》GB 23864(或按照国际相关防火封堵测试标准)的规定测试合格。

7.0.5 系原条文 7.0.5 修改条文。

2 在地下变电站、地下客运或商业设施等人流密集场所，一旦发生电缆火灾事故，含卤素的电缆会释放大量有毒气体，对人员健康造成伤害，地下环境下产生的烟气和有毒气体也不利于消防灭火，因此，为保证人员的健康和有利于消防灭火，提高安全性，这些场所的电缆应选用低烟无卤阻燃电缆。这也与本标准第 3.3.7 条和第 3.4.1 条要求一致。

7.0.6 系原条文 7.0.6 修改条文。

第 1 款说明：

(1)原条文中有关阻燃电缆的国家标准《电缆在火焰条件下的燃烧试验 第 3 部分：成束电线或电缆的燃烧试验方法》GB/T 18380.3—2001 已由现行国家标准《电缆和光缆在火焰条件下的燃烧试验》GB/T 18380.31～36—2008 替代(等同采用 IEC 60332-3-10、21、22、23、24、25：2000 版)，该系列标准分别对垂直安装的成束电线电缆火焰垂直蔓延试验的试验装置、A F/R 类、A 类、B 类、C 类、D 类阻燃电缆试验要求作出了详细规定，对应标准如下：

1)《电缆和光缆在火焰条件下的燃烧试验 第 31 部分：垂直安装的成束电线电缆火焰垂直蔓延试验 试验装置》GB/T 18380.31；

2)《电缆和光缆在火焰条件下的燃烧试验 第 32 部分：垂直安装的成束电线电缆火焰垂直蔓延试验 A F/R 类》GB/T 18380.32；

3)《电缆和光缆在火焰条件下的燃烧试验 第 33 部分：垂直安装的成束电线电缆火焰垂直蔓延试验 A 类》GB/T 18380.33；

4)《电缆和光缆在火焰条件下的燃烧试验 第 34 部分：垂直安装的成束电线电缆火焰垂直蔓延试验 B 类》GB/T 18380.34；

5)《电缆和光缆在火焰条件下的燃烧试验 第 35 部分：垂直安装的成束电线电缆火焰垂直蔓延试验 C 类》GB/T 18380.35；

6)《电缆和光缆在火焰条件下的燃烧试验 第 36 部分：垂直安装的成束电线电缆火焰垂直蔓延试验 D 类》GB/T 18380.36。

(2)现行国家标准《阻燃和耐火电线电缆通则》GB/T 19666—

2005 对阻燃定义、燃烧特性代号、阻燃类别、成束阻燃性能要求、无卤性能、低烟特性等作了详细规定。产品代号:有卤阻燃 A 类(ZA)、有卤阻燃 B 类(ZB)、有卤阻燃 C 类(ZC)、有卤阻燃 D 类(ZD)和无卤低烟阻燃(WDZ,单根试验)、无卤低烟阻燃 A 类(WDZA)、无卤低烟阻燃 B 类(WDZB)、无卤低烟阻燃 C 类(WDZC)、无卤低烟阻燃 D 类(WDZD)。

(3)现行行业标准《阻燃及耐火电缆 塑料绝缘阻燃及耐火电缆分级及要求 第 1 部分:阻燃电缆》GA 306.1—2007 规定了塑料绝缘阻燃电缆的定义、技术要求、试验方法、检验规则、标志及包装。阻燃级别及技术要求见表 7。

表 7 阻燃级别及技术要求

<table>
<tr><th rowspan="3">阻燃级别</th><th colspan="6">技术要求</th></tr>
<tr><th colspan="2">阻燃特性</th><th rowspan="2">烟气毒性</th><th rowspan="2">烟密度(最小透光率)(%)</th><th colspan="2">耐腐蚀性</th></tr>
<tr><th>试验条件[a]</th><th>炭化高度(m)</th><th>pH 值</th><th>电导率(μS/mm)</th></tr>
<tr><td>Ⅰ A 级</td><td>满足 GB/T 18380.33 规定要求</td><td rowspan="9">≤2.50</td><td rowspan="6">符合 GB/T 20285 材料产烟毒性分级 ZA_2 级</td><td rowspan="3">≥80</td><td rowspan="6">≥4.3</td><td rowspan="6">≤10</td></tr>
<tr><td>Ⅰ B 级</td><td>满足 GB/T 18380.34 规定要求</td></tr>
<tr><td>Ⅰ C 级</td><td>满足 GB/T 18380.35 规定要求</td></tr>
<tr><td>Ⅱ A 级</td><td>满足 GB/T 18380.33 规定要求</td><td rowspan="3">≥60</td></tr>
<tr><td>Ⅱ B 级</td><td>满足 GB/T 18380.34 规定要求</td></tr>
<tr><td>Ⅱ C 级</td><td>满足 GB/T 18380.35 规定要求</td></tr>
<tr><td>Ⅲ A 级</td><td>满足 GB/T 18380.33 规定要求</td><td rowspan="3">符合 GB/T 20285 材料产烟毒性分级 ZA_3 级</td><td rowspan="3">≥20</td><td rowspan="3" colspan="2">—</td></tr>
<tr><td>Ⅲ B 级</td><td>满足 GB/T 18380.34 规定要求</td></tr>
<tr><td>Ⅲ C 级</td><td>满足 GB/T 18380.35 规定要求</td></tr>
</table>

续表 7

阻燃级别	技术要求					
	阻燃特性		烟气毒性	烟密度(最小透光率)(%)	耐腐蚀性	
	试验条件[a]	炭化高度(m)			pH 值	电导率(μS/mm)
ⅣA 级	满足 GB/T 18380.33 规定要求	≤2.50	—	—	—	
ⅣB 级	满足 GB/T 18380.34 规定要求					
ⅣC 级	满足 GB/T 18380.35 规定要求					

[a]试验条件按照 A 类、B 类、C 类分别对应的 GB/T 18380.33、34、35 试验标准进行了替换；非金属材料体积和供火时间：A 类 7L/m、40min；B 类 3.5L/m、40min；C 类 1.5L/m、20min

鉴于不同行业情况以及工程特点（如火灾概率、电缆数量、设计防火规范、安全性要求和投资等因素）的多样化，阻燃电缆的等级和类别不便由本标准统一规定，故本标准给出一般原则性技术规定，具体应根据行业特点，按照国家现行标准选择适合的阻燃电缆等级和类别。

（4）需注意的是，现行国家标准《电缆及光缆燃烧性能分级》GB 31247—2014 是对电缆及光缆燃烧性能的最新分级标准，其中对 A 级，试验方法采用现行国家标准《建筑材料及制品的燃烧性能　燃烧热值的测定》GB/T 14402，以总热值 $PCS \leqslant 2.0$MJ/kg 为分级判据达到 A 级；对 B_1 级和 B_2 级，试验方法采用现行国家标准《电缆或光缆在受火条件下火焰蔓延、热释放和产烟特性的试验方法》GB/T 31248—2014（其中采用的试验装置符合现行国家标准《电缆和光缆在火焰条件下的燃烧试验　第 31 部分：垂直安装的成束电线电缆火焰垂直蔓延试验　试验装置》GB/T 18380.31—2008 的规定）和《电缆和光缆在火焰条件下的燃烧试验　第 12 部分：单根绝缘电线电缆火焰垂直蔓延试验　1kW 预混合型火焰试验方法》GB/T 18380.12，供火时间均为 1200s（即 20min），电缆及光缆燃烧性能等级见表 8。

表 8　电缆及光缆燃烧性能等级

燃烧性能等级	说　　明
A	不燃电缆(光缆)
B_1	阻燃 1 级电缆(光缆)
B_2	阻燃 2 级电缆(光缆)
B_3	普通电缆(光缆)

电缆及光缆燃烧性能等级判据见表 9。

表 9　电缆及光缆燃烧性能等级判据

燃烧性能等级	试 验 方 法	分 级 判 据
A	GB/T 14402	总热值 $PCS \leqslant 2.0$MJ/kg[a]
B_1	GB/T 31248—2014 (20.5kW 火源) 且	火焰蔓延 $FS \leqslant 1.5$m
		热释放速率峰值 $HRR \leqslant 30$kW
		受火 1200s 内的热释放总量 $THR_{1200} \leqslant 12$MJ
		燃烧增长速率指数 $FIGRA \leqslant$ 150W/s
		产烟速率峰值 SPR 峰值$\leqslant 0.25m^2/s$
		受火 1200s 内的产烟总量 $TSP_{1200} \leqslant 50m^2$
	GB/T 17651.2 且	烟密度(最小透光率)$I^t \geqslant 60\%$
	GB/T 18380.12	垂直火焰蔓延 $H \leqslant 425$mm
B_2	GB/T 31248—2014 (20.5kW 火源) 且	火焰蔓延 $FS \leqslant 2.5$m
		热释放速率峰值 $HRR \leqslant 60$kW
		受火 1200s 内的热释放总量 $THR_{1200} \leqslant 30$MJ
		燃烧增长速率指数 $FIGRA \leqslant$ 300W/s

续表 8

<table>
<tr><th>燃烧性能等级</th><th>试验方法</th><th>分级判据</th></tr>
<tr><td rowspan="4">B_2</td><td rowspan="2">GB/T 31248—2014
(20.5kW 火源)
且</td><td>产烟速率峰值 SPR 峰值≤1.5m²/s</td></tr>
<tr><td>受火 1200s 内的产烟总量 TSP_{1200} ≤400m²</td></tr>
<tr><td>GB/T 17651.2 且</td><td>烟密度(最小透光率)I^t≥20%</td></tr>
<tr><td>GB/T 18380.12</td><td>垂直火焰蔓延 H≤425mm</td></tr>
<tr><td>B_3</td><td colspan="2">未达到 B_2 级</td></tr>
<tr><td colspan="3">[a]对整体制品及其任何一种组件(金属材料除外)应分别进行试验,测得的整体制品的总热值以及各组件的总热值均满足分级判据时,方可判定为 A 级</td></tr>
</table>

同时该标准还增加了附加分级,包括:①燃烧滴落物/微粒等级(d_0、d_1、d_2),依据《电缆或光缆在受火条件下火焰蔓延、热释放和产烟特性的试验方法》GB/T 31248—2014;②烟气毒性等级(t_0、t_1、t_2),依据《材料产烟毒性危险分级》GB/T 20285—2006。

现行国家标准《电缆及光缆燃烧性能分级》GB 31247 分级标准中采用的试验标准《电缆或光缆在受火条件下火焰蔓延、热释放和产烟特性的试验方法》GB/T 31248—2014,是修改采用欧盟标准《电缆在受火条件下的通用试验方法 电缆在火焰传播试验中的热释放和产烟特性测试 试验装置、程序和结果》(英文版)EN 50399:2011,而现行行业标准《阻燃及耐火电缆 塑料绝缘阻燃及耐火电缆分级和要求 第 1 部分:阻燃电缆》GA 306.1 分级标准采用的试验标准《电缆和光缆在火焰条件下的燃烧试验》GB/T 18380.31~36—2008,分别等同采用 IEC 60332-3-10、21、22、23、24、25:2000 版。

现行国家标准《电缆及光缆燃烧性能分级》GB 31247 分级标准与现行行业标准《阻燃及耐火电缆 塑料绝缘阻燃及耐火电缆分级和要求 第 1 部分:阻燃电缆》GA 306.1 分级标准试验方法、

供火时间和判据不同，两种阻燃电缆分级标准目前均有效，分别参照EN和IEC标准。鉴于目前制造、应用现实情况，本标准仍以《电缆和光缆在火焰条件下的燃烧试验》GB/T 18380.31～36系列试验标准为基础的《阻燃及耐火电缆　塑料绝缘阻燃及耐火电缆分级和要求　第1部分：阻燃电缆》GA 306.1标准进行分级，也可根据行业特点和工程需要，采用现行国家标准《电缆及光缆燃烧性能分级》GB 31247分级标准。

7.0.8　系原条文7.0.8修改条文。

在工程设计中往往由于节省占地和节省工程投资需要，场地空间经常受到限制，采取设置两个独立的电缆通道作为防火分隔措施是比较困难的或者根本无法实施，而采取在同一通道的两层或两侧，层间和两侧间设置防火封堵板材可起到防火分隔作用，在工程中也较容易实施，这种方式也与国家现行标准《大中型火力发电厂设计规范》GB 50660和《电力设备典型消防规程》DL 5027相关条文规定一致。

按照《防火封堵材料》GB 23864—2009，各类防火封堵材料的耐火性能和隔热性能均有耐火极限1h、2h和3h产品。现行国家标准《耐火电缆槽盒》GB 29415对耐火电缆槽盒按耐火时间分4个级别产品，分别为：F1级大于90min，F2级大于60min，F3级大于45min，F4级大于30min。

为安全起见，规范防火分隔做法，增加对耐火极限不应低于1h的要求。

7.0.9　系原条文7.0.9修改条文。

耐火电缆是具有规定的耐火性能(如线路完整性、烟密度、烟气毒性、耐腐蚀性)的电缆，与阻燃电缆有显著区别。耐火电缆有较好的耐燃烧性能，但造价较高。耐火电缆的标准如下：

(1)《阻燃和耐火电线电缆通则》GB/T 19666—2005；

(2)《在火焰条件下电缆或光缆的线路完整性试验　第11部

分　试验装置——火焰温度不低于 750℃ 的单独供火》GB/T 19216.11—2003(等同 IEC 60331－11:1999)；

(3)《在火焰条件下电缆或光缆的线路完整性试验　第 12 部分　试验装置——火焰温度不低于 830℃ 的供火并施加冲击》GB/T 19216.12—2008(等同 IEC 60331－12:2002)；

(4)《在火焰条件下电缆或光缆的线路完整性试验　第 21 部分　试验步骤和要求——额定电压 0.6/1.0kV 及以下电缆》GB/T 19216.21—2003(等同 IEC 60331－21:1999)；

(5)《阻燃及耐火电缆　塑料绝缘阻燃及耐火电缆分级及要求　第 2 部分:耐火电缆》GA 306.2—2005。

现行行业标准《阻燃及耐火电缆　塑料绝缘阻燃及耐火电缆分级及要求　第 2 部分:耐火电缆》GA 306.2—2007 规定了塑料绝缘耐火电缆的定义、技术要求、试验方法、检验规则、标志及包装。耐火性级别及技术要求见表 10。

表 10　耐火性级别及技术要求

耐火级别	技术要求					
	耐火特性		烟气毒性	烟密度(最小透光率)(%)	耐腐蚀性	
	试验条件	线路完整性			pH 值	电导率(μS/mm)
Ⅰ级	供火温度:750℃～800℃	满足 GB/T 19216.21 的规定要求(供火时间 90min)	符合 GB/T 20285 材料产烟毒性分级 ZA_2 级	≥80	≥4.3	≤10
ⅠA 级	供火温度:950℃～1000℃					
Ⅱ级	供火温度:750℃～800℃			≥60		
ⅡA 级	供火温度:950℃～1000℃					
Ⅲ级	供火温度:750℃～800℃		符合 GB/T 20285 材料产烟毒性分级 ZA_3 级	≥20	—	
ⅢA 级	供火温度:950℃～1000℃					
Ⅳ级	供火温度:750℃～800℃		—	—	—	
ⅣA 级	供火温度:950℃～1000℃					

《阻燃和耐火电线电缆通则》GB/T 19666—2005 中对耐火定义、燃烧特性代号、耐火产品类别、耐火性能要求、无卤性能、低烟特性等做了详细规定。产品代号:有卤耐火类(N,单根燃烧试验)、有卤阻燃 A 类耐火(ZAN)、有卤阻燃 B 类耐火(ZBN)、有卤阻燃 C 类耐火(ZCN)、有卤阻燃 D 类耐火(ZDN)和无卤低烟阻燃耐火(WDZN)、无卤低烟阻燃 A 类耐火(WDZAN)、无卤低烟阻燃 B 类耐火(WDZBN)、无卤低烟阻燃 C 类耐火(WDZCN)、无卤低烟阻燃 D 类耐火(WDZDN)。

7.0.14 系原条文 7.0.15 的修改条文。

将对防火分隔用的材料产品要求如"防火封堵材料不得对电缆有腐蚀和损害"从原条文第 7.0.3 条中移至本条。

7.0.15 系新增条文。

核电厂常规岛及其附属设施的电缆防火除满足本标准一般性规定外,还需满足现行国家标准《核电厂常规岛设计防火规范》GB 50745 的有关规定。

附录 A 常用电力电缆导体的最高允许温度

系原标准附录 A。

(1)电力电缆的耐高温特性与作用时间密切相关,一般分:①长期持续;②短时应急过载;③短路暂态。世界上仅日本、美国的标准示出①~③相应最高允许温度 θ_m、θ_{me}、θ_{mk},迄今 IEC 标准中未曾示明 θ_{me},且本标准也尚未涉及②项,故仍只列示①、③。

(2)自容式充油电缆除以牛皮纸作层状绝缘基料外,国外近有用半合成(聚丙烯薄膜,即 Polypropylene Laminated paper,简称 PPLP)取代,我国也已具备这一制作能力。现所示普通型 θ_m 值比原标准提高,是根据 GB 9326;半合成纸型 θ_m 值则参照日本 JCS 第 168 号 E(1995)、美国 AEIC CS_4(1993)标准。它比法国 275~400kV 自容式电缆 ES 109-5(1991)标准 θ_m 为 90℃稍低。

(3)聚氯乙烯(PVC)绝缘电缆的 θ_m 示出值,是参考现行国家标准 GB/T 12706。它称之为普通型,因另曾研制有耐热型,需有所区分。国外关于 PVC 电缆类型可能的 θ_m 范围,如加拿大有撰述认为可在 60℃~105℃(参见 *IEEE Transactions on Dielectrics and Electrical Insulation*,2001,Vol. 8,No. 5),日本 JCS 第 168 号 E 标准所示 PVC 电缆 θ_m 为 60℃。

(4)交联聚乙烯(XLPE)绝缘电缆的 θ_m 示出值,依 500kV 及以下电缆制造标准 GB/T 12706、GB/T 11017、GB/Z 18890.1~3 和 GB/T 22078.1~3。都取统一的 90℃,是基于如下考虑:

XLPE 电缆迄今运行有达 40 年以上,并未显示 θ_m 需比额定值有所降低后才能可靠工作。至于日本 JCS 第 168 号 E(1995)标准中虽加注 110kV 以上 XLPE 电缆多使用 θ_m 为 80℃,但从 2001 年 IEC 62027 标准公布推行后,国际上无一例外地都遵从该标准满足长达1年的预鉴定试验，因而再无须留有裕度。此外，按美国标准 AEIC CS7(1993)对 θ_m 值选取要求：需在计算载流量所涉及电缆存在的全部热性数据充分已知，确保 θ_m 不致超过时可采取90℃，否则应取比该温度降低10℃或其他适当值。借鉴已纳入本标准第3.6.1条的条文说明中提示，故无必要对本附录列示 θ_m 值打折扣。

国内外现行 XLPE 电缆的 θ_m 均为90℃，且仅此一种，但日本近有特别选用非交联时具有高熔点(128℃)的聚乙烯料，来研制 θ_m 达105℃的耐高温 XLPE 电缆，且包含接头等附件也能适应(参见《电气学会论文志 B》Vol.123，No.12 或《广东电缆技术》2004，No.2)，因而，或许今后将可能不止当今一种型式。故对所列 XLPE 电缆也注明属普通型。

(5)补充聚氯乙烯绝缘电缆截面大于 $300mm^2$ 时，导体短时暂态最高允许温度为140℃。

附录B　10kV及以下电力电缆经济电流截面选用方法和经济电流密度曲线

系在原标准附录B基础上修改，并增加了电缆的经济电流密度曲线，供参考使用。本附录电缆经济截面选用方法基于IEC 287－3－2《电力电缆线芯截面的经济最佳化》标准。

电缆的经济电流密度是选择电缆的必要条件之一，对于选择电缆即而节省能源，改善环保，提高电力运行可靠性有着重要的技术经济意义。

导体的截面选择过小，将增加电能的损耗；选择的过大，则增加初投资。使用经济电流密度选择电缆的目的，就是在已知负荷的情况下，选择最经济的电缆截面。

在经济电流密度的两个表达式中，有以下几个参数：CI、A、Y_P、Y_S、P、i、b、a、N、R、N_p、N_c、τ。参数中除i为国家规定的贷款利息外，其余的参数均要进行数据统计或调查研究。

经济电流密度计算公式中参数的确定：

(1)C_I：电缆本体及安装成本(元)，由电缆材料费用和安装费两部分组成。电缆安装费中不包括电缆头制作及直埋电缆挖填土的费用。材料价格按照《电力建设工程装置性材料预算价格》(2013年版)统计，安装工程费包括直接费、间接费、利润、税金，安装定额按照《电力建设工程预算定额》(2013年版)统计，取费标准按照《火力发电工程建设预算编制与计算规定》(2013年版)地区为北京。同时，本次电缆本体及安装成本测算已经融入营改增部分调整，营改增部分相关调整执行相应如下两份文件：电力工程造价与定额管理总站文件定额〔2016〕9号关于发布电力工程计价依据适应营业税改增值税调整过渡实施方案的通知，执行电力工程造价与定额管理总站文件定额〔2016〕45号关于发布电力工程计价依据营业税改增值税估价表的通知。

(2)A:电缆投资中有一部分和电缆截面有关,这部分叫作成本的可变部分即为A。其数值是相邻截面电缆的投资差与截面差的比值,即是电缆截面与投资形成函数的曲线的斜率。单位为元/m·mm²。用公式表示如下:

A=(截面S_1导体的总投资-截面S_2导体的总投资)/(S_1-S_2)(元/m·mm²)

对相同型号的电缆,随着截面积的变化A值变化的幅度不大,取其平均值作为计算数值。

(3)Y_P、Y_S:Y_P为集肤效应系数,Y_S为临近效应系数。

集肤效应系数Y_P与导体的直流电阻、截面积及材质有关,其函数表达式为:

$$Y_P = f(X) \tag{14}$$

$X=1256/(R_0 \cdot K_1)$,其中$R_0 \cdot K_1$为在工作温度下导体的直流电阻(Ω/m)。

$R_0=\rho_{20}/S$(Ω/m)为20℃下的直流电阻最大值。

$K_1=1+\alpha_{20}(\theta_m-20)$为温度系数,其中$\theta_m$为经验数值(见IEC 287-3-2),取40℃。α_{20}(铜)取0.00393,α_{20}(铝)取0.00403。

邻近效应系数Y_S的表达式为:

$$Y_S = 1.5(d_1/s)^2 \cdot G(X')/[1-5(d_1/s)^2 \cdot H(X')/24] \tag{15}$$

$$H(X') = F(X')/G(X') \tag{16}$$

$$X' = 0.984X \tag{17}$$

式中:d——导体外径;

s——导体中心距离;

ρ_{20}——20℃时电缆导体的电阻率(Ω·mm²/m),铜芯为17.24×10^{-9} Ω·mm²/m、铝芯为28.26×10^{-9} Ω·mm²/m,计算时可分别取17.24和28.26。

每种不同型号和材料的电缆，都可以求出各自对应截面的 Y_P、Y_S 值，因同种型号和材料的导体的 Y_P、Y_S 值随截面的变化波动不大，所以在计算中取其平均值。

(4)P：根据 IEC 287－3－2，P 为电价，是在相关电压水平上千瓦·时的成本，也就是使用者的用电成本；D 为供给电能损耗的额外供电容量成本，也就是两部制电价中的基本电价。

我国现阶段实行的是“三段式”电价，即电价由上网电价、输配电价、销售电价组成。P 值的选取同样应该根据使用对象的不同进行选取，对于使用本标准的三类用户，即发电企业、供电企业和电力用户，要分别进行讨论。对于发电企业可采用上网电价，对于供电企业可采用输配电价，对于电力用户可采用销售电价。

我国现阶段的电价政策，对于发电企业实施单一制或两部制电价，电网的互供电价同样实行单一制电价，对于销售电价根据用户采用单一制或两部制电价。因此在 D 值的选取中，应该针对不同的电价标准，进行选取，对于单一制电价 D 值为 0。由于不同地区，两部制电价体系中基本电价 D 值有较大差异，本标准附录 B 中，按照平均值取值为 424 元/(kW·年)。

(5)i：贴现率(%)，可取全国现行的银行贷款利率，取 6.4。

(6)b：能源成本增长率(%)，根据 IEC 287－3－2，取 2%。

(7)a：负荷增长率。我们在选择导体截面时所使用的负荷电流是在该导体截面允许的发热电流之内的，当负荷增长时，有可能会超过该截面允许的发热电流。考虑 a 的目的是预计负荷的增长而将导体截面留有一定的裕度。

当使用经济电流密度选择导体截面时，往往选择的经济截面要比发热截面大很多，不存在负荷的增长使发热截面不满足要求的情况；同时，负荷增长率是随时间、空间不断变化的，很难确定其数值；根据灵敏度分析，a 的波动对 j 的影响又很小，所以忽略不计。

(8)N：经济寿命。采用导体的使用寿命。考虑某种导体从投入使用一直到使用寿命结束整个时间内的投资和运行费用的总和最小，而不是使用中的某个阶段。N 取 30 年。

(9)R：交流电阻，单位为 Ω/m。计算公式为：

$$R=R_0 \cdot B \cdot K_1 \tag{18}$$

式中：R_0——20℃下的直流电阻；

B——导体损耗系数，附录 B 经济电流密度曲线中，取值 1.005；

K_1——温度系数。

(10)N_P：每回路相线数。本标准指三相回路，所以 N_P 取 3。

(11)N_C：传输同样型号和负荷值的回路数。考虑为独立的导体，N_C 取 1。

(12)τ：最大损耗的运行时间(h/a)，即相当于负荷始终保持为最大值，经过 τ 小时后，线路中的电能损耗与实际负荷在线路中引起的损耗相等。其表达式如下：

$$\tau=\left(\int_0^{8760} W_0^2 \mathrm{d}t\right) \Big/ W_m^2 \tag{19}$$

式中：W_0——视在功率；

W_m——视在功率最大值。

实际系统中负荷是随时间变化的，所以送电网络的功率损耗也随着负荷变化而变化。表示负荷随时间变化的曲线称之为负荷曲线。设计新电网时，负荷曲线是不知道的，同时负荷变化同很多因素有关，因此要准确预测某线路的 τ 值是相当困难的。特别是最大负荷损耗时间 τ 和视在功率(全电流)的负荷曲线有关，而一般负荷曲线都是用有功负荷表示，若要将有功负荷曲线改为视在功率负荷曲线就要知道每一时刻的功率因素，这就更困难了。目前可使用最大负荷利用小时数 T_{max} 来近似求 τ 值。所谓最大负荷利用小时数，就是负荷始终等于最大负荷，经过 T_{max} 小时后它所送出的电能恰好等于负荷的全年实际用电量。显然 T_{max} 与 τ 的关系是由负荷曲线的形状和功率因素决定的。T_{max} 的表达式如下：

$$T_{\max} = \left(\int_0^{8760} P\mathrm{d}t\right) \Big/ P_m \tag{20}$$

式中：P——有功功率；

P_m——有功功率的最大值。

表 11 中，最大负荷利用小时数 $T_{\max}$ 与最大负荷损耗小时数 τ 和 $\cos\phi$ 的关系摘自《供用电技术》（中国科技大学出版社，1992 年），可参考使用，$\cos\phi$ 取值 0.85。

表 11　最大负荷利用小时数 $T_{\max}$、最大负荷损耗小时数 τ 和 $\cos\phi$ 的关系

$T_{\max}$(h) \ $\cos\phi$	τ(h)				
	0.8	0.85	0.9	0.95	1.0
2000	1500	1200	1000	800	700
2500	1700	1500	1250	1100	950
3000	2000	1800	1600	1400	1250
3500	2350	2150	2000	1800	1600
4000	2750	2600	2400	2200	2000
4500	3150	3000	2900	2700	2500
5000	3600	3500	3400	3200	3000
5500	4100	4000	3950	3750	3600
6000	4650	4600	4500	4350	4200
6500	5250	5200	5100	5000	4850
7000	5950	5900	5800	5700	5600
7500	6650	6600	6550	6500	6400
8000	7400	—	7350	—	7250

附录C　10kV及以下常用电力电缆100%持续允许载流量

系原标准附录C。

取消了原标准表C.0.1-1～2、表C.0.2-1～2和表C.0.3中已不常用的不滴流纸绝缘电缆。

取消了原标准表C.0.2-1、表C.0.2-2中6kV 3芯聚氯乙烯绝缘电缆，并将原标准表C.0.2-1、表C.0.2-2中6kV 3芯交联聚乙烯绝缘电缆空气中和直埋敷设时的持续允许载流量数据合并为“表C.0.2　6kV 3芯交联聚乙烯绝缘电缆持续允许载流量”中。

附录 D　敷设条件不同时电缆持续允许载流量的校正系数

系原标准附录 D。

原标准条文及表 D.0.1 中 35kV 修改为 10kV。

表 D.0.3 中第一列和第二列中土壤热阻系数对应土壤分类特征，仅用于在缺乏实测土壤热阻系数时的粗略判断；

表 D.0.3 中第三列中校正系数，仅适用于本标准附录 C 中表 C.0.1-2 采取土壤热阻系数为 1.2K · m/W 直埋敷设时 1kV 聚氯乙烯绝缘电缆载流量的校正。

附录E　按短路热稳定条件计算电缆导体允许最小截面的方法

系原标准附录E。

更正了铜、铝导体电阻率，铜芯为 $0.01724 \times 10^{-4} \Omega \cdot cm^2/cm$，铝芯为 $0.02826 \times 10^{-4} \Omega \cdot cm^2/cm$。

附录F　交流系统单芯电缆金属套的正常感应电势计算方法

系原标准附录F。

补充了表F.0.2E_{SO}的表达式中第1行、第2行X_S计算式。

附录G　35kV及以下电缆敷设度量时的附加长度

系原标准附录G。

附录 H　电缆穿管敷设时允许最大管长的计算方法

系原标准附录 H。

表 H.0.6 中钢管的摩擦系数 0.55 有误，现与国家现行标准《城市电力电缆设计技术规定》DL/T 5221 和《电气装置安装工程 电缆线路施工及验收规范》GB 50168 取值一致。